中華國學經典百部

精華本

素书

〔西汉〕黄石公 著

游一行 评译

中国书店

图书在版编目（CIP）数据

素书 /（西汉）黄石公著；游一行评译 . —北京：
中国书店，2023.10
（中华国学经典百部：精华本）
ISBN 978-7-5149-2963-8

Ⅰ . ①素… Ⅱ . ①黄… ②游… Ⅲ . ①兵法—中国—
秦代②《素书》—译文 Ⅳ . ① E892.33

中国版本图书馆 CIP 数据核字（2022）第 075458 号

素书
〔西汉〕黄石公 著 游一行 评译
责任编辑：孔玉

出版发行：中国书店
地 址：北京市西城区琉璃厂东街 115 号
邮 编：100050
电 话：（010）63171753（总编室）
（010）63017857（发行部）
印 刷：三河市嘉科万达彩色印刷有限公司
开 本：787mm × 1092mm 1/32
版 次：2023 年 10 月第 1 版第 1 次印刷
字 数：122 千
印 张：6（全 300）
书 号：ISBN 978-7-5149-2963-8
定 价：1490.00 元（全 50 册）

前言

《素书》相传为秦末汉初黄石公所撰，为一部谋略奇书。相传黄石公设下著名的“圯下进履”之计，以试张良人品。张良不负黄石公期望，胸怀开阔，能忍人所不能忍，黄石公遂以《素书》相传。张良在得《素书》后仔细研习，最后运用其中的智慧辅佐汉高祖刘邦定天下，于是后人称读《素书》“可为帝王者师”。

《素书》全文一千三百多字，包含了作者修身正己、为人处世、领导谋略、治国安邦的四大思想体系。但无论它为世人提供了多少经世致用之术，其根本都在于个人的修养与顺应世事规律。正如书中所言，“德足以怀远”，“人之所行，有道则吉，无道则凶”，想要在世间立足，除了要有智慧、懂谋略，更重要的是加强个人修养。

修身是为人处世的第一要义。只有做到诚挚待人、光明坦荡、宽人严己、严守信义，才能赢得他人的信赖和支持，为事业的发展打下良好的基础。修身的过程实际上也“修心”，这是自我改造的开始。《素书》将“道、德、仁、义、礼”作为美德养成的五大要素，认为要提高个人修养必须从领会这五种品德开始，一点点地积累、培养。

自传世以来，很多人对《素书》做过注，其中最著名的为宋代张商英所注。

《素书》虽然篇幅不长，却字字珠玑，将立身成事智慧尽数展开，相信您读完之后会有所裨益。

《素书》序

《黄石公素书》六篇，按《前汉列传》黄石公圯桥所授子房《素书》，世人多以《三略》为是，盖传之者误也。

晋乱，有盗发子房冢，于玉枕中获此书，凡一千三百三十六言，上有秘戒："不许传于不道、不神、不圣、不贤之人，若非其人，必受其殃；得人不传，亦受其殃。"呜呼！其慎重如此。

黄石公得子房而传之，子房不得其传而葬之。后五百余年而盗获之，自是《素书》始传人间。然其传者，特黄石公之言耳，而公之意，其可以言尽哉。

余窃尝评之："天人之道，未尝不相为用，古之圣贤皆尽心焉。尧钦若昊天，舜齐七政，禹叙九畴，傅说陈天道，文王重八卦，周公设天地四时之官，又立三公以燮理阴阳，孔子欲无言，老聃建之以常无有。《阴符经》曰：'宇宙在乎手，万物生乎身。'道至于此，则鬼神变化，皆不逃吾之术，而况于形名度数之间者欤！"

黄石公，秦之隐君子也。其书简，其意深；虽尧、舜、禹、文、傅说、周公、孔、老，亦无以出此矣。

然则，黄石公知秦之将亡，汉之将兴，故以此书授子房。而子房者，岂能尽知其书哉！凡子房之所以为子房者，仅能用其一二耳。

书曰："阴计外泄者败。"子房用之，尝劝高帝王韩信矣。书曰：“小怨不赦，大怨必生。”子房用之，尝劝高帝侯雍齿矣。书曰：“决策于不仁者险。”子房用之，尝劝高帝罢封六国矣。书曰：“设变致权，所以解结。”子房用之，尝致四皓而立惠帝矣。书曰：“吉莫吉于知足。”子房用之，尝择留自封矣。书曰：“绝嗜禁欲，所以除累。”子房用之，尝弃人间事，从赤松子游矣。

嗟乎！遗粕弃滓，犹足以亡秦、项而帝沛公，况纯而用之，深而造之者乎！

自汉以来，章句文词之学炽，而知道之士极少。如诸葛亮、王猛、房乔、裴度等辈，虽号为一时贤相，至于先王大道，曾未足以知仿佛。此书所以不传于不道、不神、不圣、不贤之人也。

离有离无之谓道，非有非无之谓神，有而无之之谓圣，无而有之之谓贤。非此四者，虽口诵此书，亦不能身行之矣。

《〈素书〉序》译文

秦末汉初的隐士黄石公所著的《素书》一共有六篇，按照《汉书》中列传的记载，当年黄石公在圯桥将此书传给张良，后世许多人以为《素书》来源于黄石公的另一部兵书《三略》，这实在是以讹传讹啊。

西晋，天下大乱之时，盗墓贼发掘了张良的坟墓，在其头下的玉枕中发现了这本书，全书共计一千三百三十六字，上面所题类似咒语的秘诫说："不允许将此书传给不道、不神、不圣、不贤之人，否则将遭受灾祸；但是如果遇到合适的人而不传授，也将遭受灾祸。"呜呼！当事人竟如此慎重对待此书。

当年黄石公遇到张良这样的豪杰，将书传给了他，但张良因为没有遇到合适的人传授它，只好带入坟墓。五百多年之后，因盗墓贼得到了它，这本奇书才得以在人间流传。然而，书中所记录的，也只不过是黄石公的极其简略的言辞，至于其中的精深要义，却不是简单几句话就能说明白的。

我与人议论时曾讲过："宇宙和人世并非各自独立，而是相互感应、相辅相成的。对于宇宙的奥秘，古代的圣人贤哲们都能够心领神会并尽心竭力地去顺天而行。比如尧帝，恭敬地顺应上天的法则；舜帝则遵循天道建立健全七种治理国家的重大政治制度，为后世所效法；大禹依据自然地理的实际情况，将天下划为九州；傅说曾向武丁陈讲天道运行的自然原则，商朝才得以中兴；周文王将天道规律与人间法则结合，才推演并发展了八卦；周公旦联系天地四时的规则建立了官吏制度，同时设立太师、太傅、太保三公来负责平衡阴阳，调和治理国家大事；孔子觉得天人之道简直太奥妙了，不愿意轻易谈论；老子却用“无”与“有”来概括天道运行的规律。《阴符经》中说：‘对于大自然的运行规律了然于心之后，思想才会处于一种自由状态，于是就会感到周围的一切都在自己的掌控之中，万事万物的变化都由我来主宰。’一个人的道行到了这种地步，神鬼变化都无法逃脱其谋术，更何况类似名实、制度、相卜这些事呢！”

黄石公是秦时的一位隐士，他传给张良的这本书，词语虽然简略，但含义非常深邃，即使尧、舜、禹、文王、傅说、周公、孔子、老子也无法超过他。

黄石公知道秦朝就要灭亡，汉朝即将兴起，于是把这本《素书》传给张良，让他替天行道，灭秦兴汉。虽然张良完成了兴汉大业，但他也没有完全精通这本书中的奥妙。张良之所以只能是张良，因他也只能运用书中智慧的十分之一二罢了。

《素书》中说：“隐秘的计划泄露出去，就会导致失败。”当年韩信要求刘邦封他为齐王，刘邦很恼火，但又是用人之际，刘邦不能得罪韩信，张良正是运用了这一谋略，促使刘邦答应了韩信的要求，才使他能最后打败项羽。《素书》中说：“如果对小的埋怨不去化解，必然会生出大的怨恨。”张良加以运用，劝汉高祖首先封赏了与他有隔阂的雍齿为什邡侯，使那些没有及时得到封赏的将领安下了心，缓解了当时的紧张局势。《素书》中说：“向仁德缺失者咨询，是一件非常危险的事情。”当刘邦被项羽围困在荥阳的时候，刘邦一筹莫展，谋士郦食其建议刘邦重封六国的后代，以争取各国君臣百姓的拥戴，张良知道这一决策不是出于真正的仁爱之心，因此说服刘邦，把已经赶制好的印信全部收回。《素书》中说："设想各种变化情况，加以权衡谋划，这样可以灵活解决各种复杂矛盾。"张良使用这条计谋，劝吕后为太子招来商山四皓，使汉高祖决心立太子刘盈为帝。《素书》中说："知足常乐，这是最吉祥的观念。"张良加以运用，提出只愿受封留地，告老不问世事。《素书》中说："杜绝不良嗜好，禁止非分妄想，可以免除不少烦恼和牵累。"张良采用了这一明哲保身的至理，功成名就后飘然出世，避开了政治斗争的旋涡，与清风明月为侣，逍遥自在地度过了一生。

真神妙啊！张良只用了《素书》中一些残渣余唾，就推翻了秦王朝，打败了项羽，辅佐刘邦统一了天下，而如果能够领会其中全部的精华奥义，进而有所发挥，灵活运用，那将创造多么巨大的丰功伟绩啊！

自从汉朝建立以来，诗赋文章蔚然成风，蓬勃发展，但是真正认识、掌握宇宙大道的哲人寥寥无几。诸如三国时期的诸葛亮、十六国时期的王猛、初唐的房玄龄、唐宪宗时的裴度这些名臣，虽然号称一代贤相，但对于道为何物，连其依稀仿佛的皮毛也没有领会到。这就是《素书》之所以不传给不道、不神、不圣、不贤之人的原因啊，世上的可造之才真是太少了。

能超越"有"和"无"的就是得道之人；能够将大道用于"非有非无"之间的就是神异之人；从"有"入手，达到"无"的境界，为圣明之人；从"无"起步，达到"有"的境界，为贤能之人。如果不是这四类人，即使将《素书》倒背如流，也不能身体力行，使其发挥作用。

目录

原　典

原始章第一

夫道、德、仁、义、礼，五者一体也。

道者，人之所蹈，使万物不知其所由。德者，人之所得，使万物各得其所欲。仁者，人之所亲，有慈惠恻隐之心，以遂其生成。义者，人之所宜，赏善罚恶，以立功立事。礼者，人之所履，夙兴夜寐，以成人伦之序。

夫欲为人之本，不可无一焉。

贤人君子，明于盛衰之道，通乎成败之数；审乎治乱之势，达乎去就之理。故潜居抱道，以待其时。若时至而行，则能极人臣之位；得机而动，则能成绝代之功。如其不遇，没身而已。是以其道足高，而名重于后代。

正道章第二

德足以怀远，信足以一异，义足以得众，才足以鉴古，明足以照下，此人之俊也。

行足以为仪表，智足以决嫌疑，信可以使守约，廉可以使分财，此人之豪也。

守职而不废，处义而不回，见嫌而不苟免，见利而不苟得，此人之杰也。

求人之志章第三

绝嗜禁欲，所以除累。抑非损恶，所以禳过。贬酒阙色，所以无污。避嫌远疑，所以不误。博学切问，所以广知。高行微言，所以修身。恭俭谦约，所以自守。深计远虑，所以不穷。亲仁友直，所以扶颠。近恕笃行，所以接人。任材使能，所以济物。瘅恶斥谗，所以止乱。推古验今，所以不惑。先揆后度，所以应卒。设变致权，所以解结。括囊顺会，所以无咎。橛橛梗梗，所以立功。孜孜淑淑，所以保终。

本德宗道章第四

夫志心笃行之术，长莫长于博谋，安莫安于忍辱，先莫先于修德，乐莫乐于好善，神莫神于至诚，明莫明于体物，吉莫吉于知足，苦莫苦于多愿，悲莫悲于精散，病莫病于无常，短莫短于苟得，幽莫幽于贪鄙，孤莫孤于自恃，危莫危于任疑，败莫败于多私。

遵义章第五

以明示下者暗，有过不知者蔽，迷而不返者惑，以言取怨者祸，令与心乖者废，后令缪前者毁，怒而无威者犯，好众辱人者殃，戮辱所任者危，慢其所敬者凶，貌合心离者孤，亲谗远忠者亡，近色远贤者昏，女谒公行者乱，私人以官者浮，凌下取胜者侵，名不胜实者耗。

略己而责人者不治，自厚而薄人者弃废，以过弃功者损，群下外异者沦，既用不任者疏，行赏吝色者沮，多许少与者怨，既迎而拒者乖，薄施厚望者不报，贵而忘贱者不久，念旧恶而弃新功者凶，用人不正者殆，强用人者不畜，为人择官者乱，失其所强者弱，决策于不仁者险，阴计外泄者败，厚敛薄施者凋，战士贫、游士富者衰，货赂公行者昧。

闻善忽略、记过不忘者暴，所任不可信、所信不可任者浊，牧人以德者集，绳人以刑者散，小功不赏则大功不立，小怨不赦则大怨必生，赏不服人、罚不甘心者叛，赏及无功、罚及无罪者酷，听谗而美、闻谏而仇者亡，能有其有者安，贪人之有者残。

安礼章第六

怨在不舍小过，患在不豫定谋。福在积善，祸在积恶。饥在贱农，寒在惰织。安在得人，危在失士。富在迎来，贫在弃时。

上无常操，下多疑心。轻上生罪，侮下无亲。近臣不重，远臣轻之。自疑不信人，自信不疑人。枉士无正友，曲上无直下。危国无贤人，乱政无善人。

爱人深者求贤急，乐得贤者养人厚。国将霸者士皆归，邦将亡者贤先避。地薄者大物不产，水浅者大鱼不游。树秃者大禽不栖，林疏者大兽不居。山峭者崩，泽满者溢。

弃玉取石者盲，羊质虎皮者柔。衣不举领者倒，走不视地者颠。柱弱者屋坏，辅弱者国倾。足寒伤心，人怨伤国。山将崩者下先隳，国将衰者人先弊。根枯枝朽，人困国残。与覆车同轨者倾，与亡国同事者灭。见已生者慎将生，恶其迹者须避之。

畏危者安，畏亡者存。夫人之所行，有道则吉，无道则凶。吉者百福所归，凶者百祸所攻。非其神圣，自然所钟。

务善策者无恶事，无远虑者有近忧。同志相得，同仁相忧，同恶相党，同爱相求，同美相妒，同智相谋，同贵相害，同利相忌，同声相应，同气相感，同类相依，同义相亲，同难相济，同道相成，同艺相规，同巧相胜。此乃数之所得，不可与理违。

释己而教人者逆，正己而化人者顺。逆者难从，顺者易行；难从则乱，易行则理。

如此理身、理家、理国可也。

释　评

原始章第一

注曰："言道不可以无始。"

【释评】

人生在世，道德修养为立世之根本。天道、德行、仁爱、正义、礼制历来是中国人文思想的核心组成部分。古人认为，圣贤是道德的最佳完成者。孔子和孟子成为圣贤，和他们的为人有极大关系。端正己心，以求知的心态修德行，人生也会因这份努力而美丽长存。

【原典】夫道、德、仁、义、礼，五者一体也。

注曰："离而用之则有五，合而浑之则为一；一之所以贯五，五所以衍一。"

【译文】

天道、德行、仁爱、正义、礼制，五位一体，密不可分。

【释评】

修身是为人处世第一要义。儒家思想强调在"齐家治国平天下"之前，先要修身。只有做到诚挚待人、光明坦荡、宽人严己、严守信义，才能赢得他人的信赖和支持，为事业的发展打下良好的基础。因此，《素书》将"道、德、仁、义、礼"作为人生大格局的组成部分，并认为这五种品质缺一不可。

个人修养的提升过程实际上是"修心"的过程，即心的建设。这是自我改造的开始。美德不会从父母那里遗传下来，它需要逐渐培养。大人物都出自自我训练，从没有哪个人生下来便胸怀大志、正直高尚，因此，要从领会“道、德、仁、义、礼”五种品德开始，一点点地积累、一点点地培养，最后实现由人生的自然境界、功利境界向道德境界、天地境界的改造。

自然境界是最低层次的，这个境界中的人做事总是依照社会习惯或者是依照本性而为，完全跟着天地的运转而运转，浑浑噩噩、得过且过。功利境界中的人，对于人生比自然境界中的人有了进一步的了解，他们明白自己行为的目的和意义，懂得自己需要的是什么，会努力奋进。但他们是以“功利”为行为的出发点，他们的动机是想换取更高的收益。这两种境界很容易达到，但之后的道德与天地境界，便非常人轻易所能达到的了。

道德境界，即所谓正其义不谋其利。达到这一境界的人心中除了“我”，还有一个社会、一个全体，他们了解个人是社会的一部分，因而他们的着眼点是在公而不在私。古今贤人及英雄便是已达到道德境界的人。

最后一种境界是天地境界，达到这一境界的人认为在社会之上尚有一个更高的宇宙。个人不能离开宇宙而存在，因而人不仅是社会的一员，也是宇宙的一部分；人是社会组织的公民，同时还是孟子所说的“天民”。所以，对他们而言，无所谓生，亦无所谓死，一切皆以服务宇宙为目的。

四种境界间的差异显而易见，普通人都在自然境界和功利境界中徘徊与自我折磨，贤能之人则在道德境界中为社会、为民生谋福利，而圣人则在天地境界中“赞天地之化育”。境界不同，人们见识的世界也不同。

说得简单一些，境界不同即人们的价值观不同。价值观是人们处理各种问题的依据，能赋予人力量去采取行动。而价值观正确与否，则取决于个人的思想修养。很难想象一个推崇个人利益的人会为组织的发展捐献全部财产。同样，一个具有很高修养的人不可能为了个人私利而损害国家的利益。因为有较高的觉悟和正确的价值观，人们才能不仅仅为个人利益行事，而且能够从更广泛的意义上看待事物。

道、德、仁、义、礼，本质上是一个原始本体五个范畴的外化，无论是三教还是其他用于治国兴邦的思想体系，无不将道德作为改造世界的根本。老子说：由于世风日下，人们距离天道本有的和谐、完美越来越远，人心日益丧失先天的淳朴、自然，矫情、伪饰成了人们必备的假面，所以才不得不用伦理道德教育世人，当用道德教育也不起作用的时候，只好提倡仁爱。当人们的仁爱之心也日益淡薄之时，就呼吁要用正义，在正义感也丧失殆尽后，就只能用规则性的礼制来约束民众了。

因此，道、德、仁、义、礼，这五个方面是因时因势之不同而权变使用的结果，实际上是一而五、五而一的不同说法和解释罢了。

【原典】道者，人之所蹈，使万物不知其所由。

注曰："道之衣被万物，广矣，大矣。一动息，一语默，一出处，一饮食。大而八纮之表，小而芒芥之内，何适而非道也？仁不足以名，故仁者见之谓之仁；智不足以尽，故智者见之谓之智；百姓不足以见，故日用而不知也。"

【译文】

道，即人所遵循的自然规律。世间万物都按它来运行，但往往不能为人所认知。

【释评】

诸葛亮说："腐儒俗士岂识时务，识时务者在乎俊杰。"所谓"识时务"即人能够认清事物的变化方向，了解问题的特征。

“事物的变化方向”“问题的特征”可以统称为“道”，即事物运行的基本规律。顺应事物发展的规律行动，是保证行动正确的第一步。不过，《庄子·至乐》中的鲁侯似乎并不明白这个道理。

有一天，一只罕见的海鸟飞到了鲁国城郊。因为鲁侯喜欢养鸟，于是人们便将海鸟捉住献给了他。一见奇鸟，鲁侯欢喜非常。他怕海鸟死去，便尽心竭力地为它创造良好的生活条件。只是，他采取的行动令人啼笑皆非。比如，他将海鸟供养在庙里，让厨师为海鸟准备丰盛的宴席。不仅如此，他还命人演奏高雅的乐曲，让人跳优美的舞蹈请海鸟欣赏。结果，海鸟受了惊吓，滴水不进，粒米不沾。就这样，三天后它便饿死了。

鲁侯的愿望很美好，但是他不顾海鸟的习性，将自己的主观愿望强加于海鸟。所以，食物再丰盛，音乐再动听，歌舞再优美，也无法令海鸟生活舒适，只会让事情越来越糟。

正因如此，古人才强调“不妄为”。天有昼夜，岁分四时，日月往来是天之理；海纳百川，万物荣枯是地之理；父子之亲，夫妇之别，朋友之信，是人事之理。农家顺应天时才能有良好的收成；百姓顺应人事之理，社会才能和谐。因此，遵循万物自然规律办事，可以让生活更有秩序。

或许有人会问：“世事都有发展的规律，但它们同时也在不断地变化，我能够做什么？”

这个问题的答案有三种：第一，预见下一步的变化，永远抢在变化前头主动改变；第二，应变，你变我也变，跟着变；第三，在其他人变了以后，要比别人变得还快，追赶超越其他人。

世间万物都在变。没有变化，就会落后，就无法生存。事变我变，人变我变，适者方可生存。人的生存离不开环境，环境一旦变化，人就必须随时调整自己的观念、思想、行动及目标以适应这种变化。这是生存的客观法则。

但是，有时环境的变化与个人的事业目标、欲望、兴趣、爱好等并不合拍，有时甚至会阻碍、限制能力的发展。在这种时候，如果谁有能力、有办法适应环境，使之满足自己能力和欲望的发展需求，才是最难能可贵的。事物的规律就像容器一样，为人处世应当像水与容器相合，改变世界很难，改变自己却很容易。

【原典】德者，人之所得，使万物各得其所欲。

注曰："有求之谓欲。欲而不得，非德之至也。求于规矩者，得方圆而已矣；求于权衡者，得轻重而已矣。求于德者，无所欲而不得。君臣父子得之，以为君臣父子；昆虫草木得之，以为昆虫草木。大得以成大，小得以成小。迩之一身，远之万物，无所欲而不得也。"

【译文】

德，即人顺应自然的安排而使欲求得到满足的能力，它支配世间万物，使他们各自的欲求得到满足。

【释评】

老子是我国历史上的大智者，他曾与一位老翁探讨过有关寿命长短和人生意义的问题。

那位老翁是个长寿的人，他得意地对老子说："我今年已经一百零六岁了。说实在话，我从年少到现在，一直游手好闲地轻松度日。与我同龄的人纷纷作古，他们开垦了百亩良田却没有一席之地，盖了豪华的屋宇却落身于郊外的孤坟。而我呢，虽一生不稼不穑，却还吃着五谷；虽没制作只砖片瓦，却仍然居住在避风挡雨的房舍中。先生，他们忙忙碌碌地劳作一生，却只给自己换来早逝。这难道不可笑吗？"

老子听了，微微一笑，吩咐一名弟子说："找一块砖头和一块石头来。”

老子将砖头和石头放在老翁面前，说：“如果只能择其一，仙翁您是愿意要砖头还是愿意要石头？”

老翁得意地取过砖头放在自己面前，说：“我当然选择砖头。”

老子抚须笑着问老翁：“为什么呢？”

老翁指着石头说：“这石头没棱没角，取它何用？而砖头能够砌墙盖房，大有用场。”

老子又招呼围观的众人问：“大家要石头还是要砖头？”众人纷纷说要砖头而不要石头。

老子又问老翁：“是石头寿命长，还是砖头寿命长呢？”

老翁说：“当然是石头的寿命长。”

老子释然而笑，说：“石头寿命长，人们却不选择它；砖头寿命短，人们却选择它，不过是有用和没用罢了。天地万物莫不如此。寿虽短，于人于天有益，天人皆择之，皆念之，短亦不短；寿虽长，于人于天无用，天人皆摒弃，倏忽忘之，长亦不长啊！”

听罢老子的一番宏论，老翁无地自容。

可见，人生的价值不在于生命的长短，不在于索取多少，而在于是否为他人和社会所用。如果仅仅是向社会和他人索取，那么这样人的人生毫无价值。“奉献”即是《素书》中所说的“德”。

奉献是一种精神，但首先应体现在行动上。奉献的具体行为表现各异，但其精神实质都是无私和忘我。奉献并不遥远，它就在我们身边，因为在日常生活中，无论个人的工作如何、能力大小，都在有意无意地自我奉献着，也在不知不觉中享受着他人奉献的成果，实践着“各有所得，各得其所欲”的处世之道。

【原典】仁者，人之所亲，有慈惠恻隐之心，以遂其生成。

注曰："仁之为体如天，天无不覆；如海，海无不容；如雨露，雨露无不润。慈慧恻隐，所以用仁者也。非亲于天下，而天下自亲之。无一夫不获其所，无一物不获其生。《书》曰：'鸟、兽、鱼、鳖咸若。'《诗》曰：'敦彼行苇，牛羊勿践履。'其仁之至也。"

【译文】

仁，是所有人都重视和向往的，只要具有慈悲、恻隐之心，人就会产生各种善良的愿望和行动，就形成了仁。

【释评】

"仁"是儒家学说中最重要的概念。孔子曾说："我未见好仁者，恶不仁者。好仁者，无以尚之；恶不仁者，其为仁矣，不使不仁者加乎其身。有能一日用其力于仁矣乎？我未见力不足者。盖有之矣，我未之见也！"在孔子看来，一个爱好仁而有道德的人，其修养几乎无人可以比拟。如果一个人厌恶不仁的人，那么他也算是达到了仁的境界。无论是"好仁者"还是"恶不仁者"，其实都有一颗仁爱的心，人性本善的另一层意思就是人性本仁。

"仁"的概念外延很广，包括忠、孝、礼、义等。孔子在解释仁时，面对不同的学生给出了不同的答案。

他对仲弓说，"出门如见大宾，使民如承大祭；己所不欲，勿施于人；在邦无怨，在家无怨"就是仁。意思是，仁者每出门办事，都如同去见贵宾，让百姓做事时，如同去进行重大的祭祀一样，本着认真严肃的态度。自己不愿意要的、不想干的，不强加于人。如果一位诸侯无论在朝廷上还是生活中都没有人对他心怀怨恨，那么他就能被称为"仁人"。

他对樊迟说，仁是"居处恭，执事敬，与人忠"，即无论何时何地都应该恭敬认真，对人真诚。

在回答司马牛时，孔子说仁就是说话时谨慎郑重。这一点做起来很困难，所以人们在平日里要警惕言过其实。

孔子也曾说过，克己复礼为仁。

从孔子对仁的不同解释中可以看出，“仁”几乎将各种美德都纳入其中了。行为处世恭敬有礼、与人为善、忠实厚道、孝敬父母等都是仁。仁是一切美德之源，换言之，人身上所体现的每一种美德都是仁的化身。《素书》中所说的“仁者，人之所亲，有慈惠恻隐之心”即实现“仁”的具体方法之一。所谓“慈惠恻隐”，即与人相处时做到将心比心，换位思考，由此做到“己所不欲，勿施于人”，再达凡事“推己及人”。

每个人在社会上都不是孤立的，周围有许多与自己共同学习、工作和生活的人，为使学习顺利、事业成功、生活幸福，人们都愿意与他人建立良好的人际关系。而推己及人则是实现人际关系和睦、融洽的重要之道。要做到推己及人，首先要做到“己所不欲，勿施于人”，然后再进一步做到“己欲立而立人，己欲达而达人”。也就是孔子所说的“推己及人可谓仁之方也”。一个有仁德的人，自己想要站得住，同时也要帮助别人站得住，自己想要事事行得通，同时也要帮助别人事事行得通，真正做到己立、立人，己达、达人。

凭借自身的宽大心胸来容纳别人，这是几千年前的圣人给世人开出的一剂良方，是仁德的原点，也是儒家思想中值得现代人学习的一条重要的做人做事道理。推己及人，这并不是高不可及的教条。无论君子妇孺，这剂仁之方同样适用。

人之本心，见到花开会欣喜，听闻流水会动心，“仁”，它不自觉地会从我们身上自然地流露出来，我们要在此基础上去进一步修为。

【原典】义者，人之所宜，赏善罚恶，以立功立事。

注曰：“理之所在谓之义；顺理决断，所以行义。赏善罚恶，义之理也；立功立事，义之断也。”

【译文】

义，即人所遵循的与事理相适宜的原则。义要求人奖赏善行、惩罚恶行，以此建功立业。

【释评】

“天地有正气，杂然赋流形。下则为河岳，上则为日星；于人曰浩然，沛乎塞苍冥。”文天祥的《正气歌》是对“浩然之气”的最佳注解。所谓的“浩然之气”，就是至大至刚的昂扬正气；是以天下为己任、担当道义、无所畏惧的勇气；是君子挺立于天地之间，无所偏私的光明磊落之气；是人们建功立业所应遵循的道德勇气。

文天祥之所以能为后世推崇，正是因为他具有“留取丹心照汗青”的道德勇气。这种品质即是古人常说的“义”，它决定了个人人格魅力所能达到的境界。

提到“义”，人们想到更多的是“锄强扶弱”，“侠之大者，为国为民”。其实，并不是只有为“侠”者才有“义”。《素书》说：“义者，人之所宜，赏善罚恶，以立功立事。”可见，“义”是恪守原则，是坚持正确的事，无论外界评价如何，都能勇敢地实践，有时在一件小事上坚持原则同样是义。如许衡再渴也不食无主之梨。正如他自己所言，梨虽无主，但人心有主。这人心之主便是“义”的约束，对原则的坚持。一个没有原则的人，和无赖无异。人只有时时检讨自己的行为，给自己锻造身心的曲规，才能在不断完善自我的过程中获得对自己有价值的东西，从而提高自我。

当年赵概与欧阳修同在馆阁任职。因赵概性情敦厚持重，沉默寡言，故欧阳修看不起他。后来欧阳修的外甥女与人淫乱，忌恨欧阳修的人便借题发挥，以此事来诬蔑他。皇帝震怒，没人敢为欧阳修辩护，只有赵概为欧阳修上书，说：“欧阳修因文才出众才成为皇上的近臣，皇上不能随便听信谗言，轻易诬蔑他。”有人问赵概：“你不是与欧阳修之间有嫌隙吗？”赵概说：“以私废公，我不能做这种事。”可惜最终皇帝并没有听赵概的话，欧阳修仍旧被贬官滁州。

不能以私废公，是赵概的处世之道。这一原则不因身份地位、利益关系改变。赵概后来执掌苏州，接着又辞官守丧，守丧期满后，被授职翰林学士。他再次上书，请求先为欧阳修恢复官职。虽然他的请求依然没有被朝廷采纳，但当时的人们都非常赞赏赵概。他的人格魅力也换来了欧阳修的尊重。欧阳修从此以后对赵概佩服非常，与其结成莫逆之交。

恪守原则是“仁义”的基本要求，是人格魅力的重要组成因素。无论是生活还是工作，在关键时候能否坚持原则，常常是判断一个人道德水准的重要依据。只有那些肯于坚持原则的人，才能赢得他人的信任和支持，否则朋友便不愿与他共处，同侪便不愿与他共事。师长如果没有原则，是非不明，则会令学生无所依循；父母如果没有原则，赏罚不分，则会令儿女无以学习；居上位的人，如果没有原则，朝令夕改，则会使下属无所适从。

总之，“义”是讲原则，说穿了便是“宜”。“宜”为合理之意。“见利思义”“义然后取”即在于取用财物时，必须想到行动是否合理。如果不合理，不是你的偏偏拿走，不属于你的偏偏收下，这便是“不义”。孟子说：“富贵不能淫，贫贱不能移，威武不能屈，此之谓大丈夫。”这成为许多英雄豪杰、志士仁人的座右铭。其中隐含的深意，便是“义”。它是充满正义和仁义道德的正气与骨气，是人身上与道德相关的原则。

【原典】礼者，人之所履，夙兴夜寐，以成人伦之序。

注曰：“礼，履也。朝夕之所履践而不失其序者，皆礼也。言、动、视、听，造次必于是，放、僻、邪、侈，从何而生乎？”

【译文】

礼，即人所遵循的社会规范。在礼制的规范下，每个人都克勤克俭，按照各自的社会角色行事，形成了和谐的社会秩序。

【释评】

杨时是北宋才子，自小便聪颖异于常人。长大后，他拜程颢、程颐为师，精研理学。一天，杨时与同学游酢去见程颐。当他来到程颐住处时，只见老师正闭着眼睛坐着。杨时与游酢就侍立在门外没有离开，等到程颐察觉时，门外的雪已经有一尺多深，杨时和游酢身上已经落满雪花。

“程门立雪”的故事一直为后世所颂扬。当时，并没有人要求学生以这种方式来表达其尊师重道之情，杨时他们只是遵从心里对老师的敬意而行了这样的礼。同样，“三顾茅庐”正是刘备在面对胸藏天地的诸葛亮时所流露的尊贤与求才之心，对他们来说，自己的所为只是尽心而已。可以说，守礼是成本最低的投资，却能换回最大的人情回报。

《论语·季氏》有曰：“不学礼，无以立。”人如果不懂得礼仪，就无法立身处世，所以黄石公说：“礼者，人之所履，夙兴夜寐，以成人伦之序。”人们必须按礼仪规范行事，社会才能有序。

针对礼貌的问题，著名学者季羡林先生曾经引用一段话说：“富者有礼高质，贫者有礼免辱，父子有礼慈孝，兄弟有礼和睦，夫妻有礼情长，朋友有礼义笃，社会有礼祥和。”这段话足可说明“知礼守礼”对人们家庭生活、社会交往的重要性。

孟子曰：“仁者爱人，有礼者敬人。爱人者，人恒爱之；敬人者，人恒敬之。”荀子也曾经说过：“仁义礼善之于人也，辟之若货财粟米之于家也。”唐代张九龄也称：“人之所以为贵，以其有信有礼。”可见只有懂得礼仪的人才能受人尊敬，游刃有余存于世。

对个人而言，礼仪能让人显得高尚而有涵养。正是因为礼法的存在，人们才抛弃了野蛮的生活状态，在礼法的约束下和平共处，共建繁荣。

【原典】夫欲为人之本，不可无一焉。

注曰：“老子曰：‘夫道而后德，失德而后仁，失仁而后义，失义而后礼。’失者，散也。道散而为德，德散而为仁，仁散而为义，义散而为礼。五者未尝不相为用，而要其不散者，道妙而已。老子言其体，故曰：‘礼者，忠信之薄而乱之首。’黄石公言其用，故曰：‘不可无一焉。’”

【译文】

道、德、仁、义、礼是做人的五项根本原则，修身立业缺一不可。

【释评】

高尚的德行是一种境界，是一种追求，也是一种力量、一种格局，是一种震慑邪恶、净化环境、吸引财源的动力。德能使人内力强劲，无往而不胜。所以，大胜靠德，人生的成就往往与德行的修养成正比。我们要想取得事业上更大的成功，就必须注意自己的德行修养，必须使自己的德行修养扎实。

《易经》说：“地势坤，君子以厚德载物。”一个人在做人做事方面应该顺应自然，胸怀博大，宽以待人。一个人的能力是有限的，心胸开阔、宽容待人就能得到别人的尊重和爱戴，别人也就会努力工作，尽心为你效劳。有德之人更能明白别人所追求的利益，并能尽力给予别人最大的满足。人之生于世，一为名，二为利，三为尊重。纵观历史，有大成就的人必然有德行而能令人为其舍命效劳。

世间技巧无穷，唯有德者可用其力；世间变幻莫测，唯有品格可立一生。这就是作为一个成功人士或希望成为一个成功人士的人应该具备的道德品质，“道之以德”，“德者得也”。《左传》中说：“太上有立德，其次有立功，其次有立言。虽久不废，此之谓不朽。”最上等的，是确立高尚的品德；次一等的，是建功立业；较次一等的，是著书立说。如果这些即使过了很久也不会废弃，就是不朽了。这就告诉我们，要以道德来规范自己的行为，只有具备优秀品质的人，才能收获更多人生的乐趣、生命的精彩。

外表的美固然能从视觉上给人以强烈的冲击，但外表的美会消退，内心的美才能历久弥新。决定一个人高贵与否，重要的是看他的品行，而不是看他长得如何、穿着怎样。如果你素质低下，终日游手好闲，虚度光阴，那么，即使你全身用名牌武装，你也无法变得高贵起来。要让自己变得高贵，首先就得陶冶自己的情操，让自己成为一个品格高尚的人。只有华丽的外表，而没有内心的修养，这样的人不仅不受欢迎，反而还会遭到人们的唾弃。

在人的一生中，尤其是年轻时所容易犯下的最大的错误就是被容貌的美丑所束缚而不考虑关系到整个人生的品格之美。事实证明，依仗外表的人往往因外表而毁灭，依仗品格的人却因此而永生。

总之，高贵离不开品格的完美。如果没有良好的道德品质、完美的内心世界，有再漂亮的外表也只能充当服装店里的衣架而已，而能够让你一飞冲天，成就最广大生命格局的只有你的品格。

【原典】贤人君子，明于盛衰之道，通乎成败之数；审乎治乱之势，达乎去就之理。

注曰：“盛衰有道，成败有数，治乱有势，去就有理。”

【译文】

贤明的人和有德行的君子，都明白世间万物兴盛、衰败的道理，通晓事业成功、失败的规律，知道社会太平、纷乱的局势，懂得把握进退的尺度。

【释评】

真正的学问并不都在书本上。古人说“世事洞明皆学问”，“洞明世事”才能成就真正的学问，这四字在《素书》中被表述为“明于盛衰之道，通乎成败之数；审乎治乱之势，达乎去就之理”。这是在说，人必须对自己身处的环境有足够的认识，懂得成事的规律，这样才能把握好进退的尺度。

古时，贤人君子能够对社会的盛衰治乱进行分析。是因为他们“明”“通”“审”“达”，能搞清当时的大背景，理顺身边的小环境，然后因地制宜摆正自己的位置。如历史上“萧规曹随”的主人公曹参便是这样一位洞明世事的人。

曹参在萧何死后接替了萧何的丞相之位，成为西汉历史上第二位丞相。曹参当上丞相后，一切都遵照萧何制定的规章，丝毫不加以变更。因此他清闲自在，经常喝酒取乐，消磨时光。汉孝惠帝对曹参的无为表示十分不解。曹参面对孝惠帝的质疑，先是问了几个问题。

曹参问：“请问陛下自以为比高帝如何？”

孝惠帝说：“我岂敢与先帝相比！”

曹参又问：“陛下以为臣与萧何比谁贤明些？”

孝惠帝说：“你不及萧何！”

得到孝惠帝的回答后，曹参说：“高帝与萧何共定天下，朝政清明，百姓安乐。所定法令深入民心，百官守职。陛下与臣等只要继承先帝的章法，守而不变，遵而勿失，天下则安矣，何必节外生枝？”

孝惠帝忽然明白了曹参的心思，频频点头称赞他说：“曹相国真忠臣也，你不必再说了！”

秦时施行暴政，楚汉之争又战乱不断。汉朝建立后人心思定，国家建设和发展是首要之务。萧何在任丞相时已经做到纲纪清明，曹参继承了相位以后，并不急于追求功绩。他清楚国家形势，该做什么，不该做什么，心中一片了然，这正是他的聪明之处。

可见，人光有才华不够，光有能力也不足以立天下，真正的聪明人看得清成败的规律与社会局势，懂得把握进退的尺度。

【原典】故潜居抱道，以待其时。

注曰：“道，犹舟也，时，犹水也；有舟楫之利而无江河以行之，亦莫见其利涉也。”

【译文】

当时机不对时，能够及时退隐，坚守正道，等待时机来临。

【释评】

《素书》中提到君子在时机不成熟时，会“潜居抱道，以待其时”。他们相信，时机不成熟时，应该等待，只要坚守意志，他们的价值终有一天会被发现。虽然人常说“机缘巧合”，但其实“机缘”并无所谓“巧合”之说。

庄子曾经为解释机缘讲了鲲鹏一事：

“鹏之徙于南冥也，水击三千里，抟扶摇而上者九万里。……风之积也不厚，则其负大翼也无力。故九万里，则风斯在下矣，而后乃今培风；背负青天，而莫之夭阏者，而后乃今将图南。”庄子的意思是，大鹏鸟要飞到九万里高空，非要等到大风来了才行，如果风力不够，它的翅膀就没办法打开，就飞不起来。风力越大，起飞就越容易、快速。如果将人比作大鹏，那么托起他成就的“大风”则是他的气度、学问、能力。这些素养正是个人在事业高峰期到来之前所应该培养的，而且应该把它们培养得如大海般深广才行。如战国苏秦，身处弱势而不气馁，仍坚持自己的理想与抱负，把弱势当作奋发图强的机会，当作韬晦蓄势的时间优势，终于有所作为。

苏秦曾随鬼谷子学游说术多年，后辞别老师，下山求取功名。

苏秦先回到洛阳家中，变卖家产，然后周游列国，向各国国君阐述自己的政治主张，希望能施展自己的政治抱负。但是，当时没有任何一个国君欣赏他，苏秦垂头丧气地回到洛阳。洛阳的家人见他如此落魄，都不给他好脸色，苏秦央求嫂子给他做顿饭，嫂子都不给做，还狠狠训斥了他一顿。苏秦从此振作精神，苦心攻读。他把头发束住吊在房梁上，用锥子刺自己的腿。“头悬梁，锥刺股”便由此而来。

一年后，苏秦看清了当时的政治形势，开始二次周游列国。这一次，他终于说服了当时的齐、楚、燕、韩、赵、魏六国“合纵抗秦”，成为“纵约长”，做了六国的丞相。当此时的苏秦衣锦还乡后，他的亲人一改往日的态度，“四拜自跪而谢”。

沉潜的日子相当于长长的助跑线，能够让你飞得更高更远。所有的成就都不是一蹴而就的，只有静下心来日积月累地积蓄力量，才能在机遇到来时乘势而起。处逆境，当做潜龙，一旦时机成熟，便是飞龙在天。

孟子曰：“大丈夫穷则独善其身，达则兼济天下。”这是对沉潜以待的深刻解读。把每一个障碍都当成一次自我提升的机遇。面对困难，你首先要问的是，这是不是一项挑战？自己是不是要积聚起更大的勇气，更加精力充沛地去迎接挑战？自己能从中学到什么新的知识，积累什么新的经验？永远不要对别人妄加揣测，更不要对分配给自己的高难度任务产生畏难情绪。如果因此而丧失工作热情，就会坐失学习和提高的机会，流失让自己更加强大的土壤。

【原典】若时至而行，则能极人臣之位；得机而动，则能成绝代之功。如其不遇，没身而已。

注曰："养之有素，及时而动；机不容发，岂容拟议者哉？"

【译文】

一旦时机成熟，便乘势而行，于是常常能够位极人臣，建立盖世之功。如果时运不济，他们也能守得淡泊以终其生。

【释评】

如果让一位失败者总结原因，他或许会给出以下几条：没有人帮助、提拔；好的职位已被众多优秀者占据。归根结底，就是缺乏机遇。机遇对人发展的重要性不言而喻，《素书》也将"得机而动""时至而行"视为"极人臣之位""成绝代之功"的条件之一，即能把握时机的人会成就一番伟业。

没有人会否认机遇的重要性，但是在面对机遇时，许多人会陷入等待的误区。这实际上是把机遇与"偶然的成功"等同，而忽略了机遇偏爱有准备的头脑。诸葛亮得刘备"三顾茅庐"，机遇大好，但如果不是他此前已经读遍诸子百家，胸有丘壑，也无法得到刘备青睐。

如果说诸葛亮的机遇多少还带有些被动性，那么毛遂自荐就是典型的主动寻找并把握机遇的例子。

毛遂曾在战国四公子平原君门下当了三年默默无闻的门客。后来，秦国攻赵，毛遂认为自己施展才华的机会到了，于是他主动向平原君请缨当说客，前往楚国求助。但是，平原君对三年不曾展露才华的毛遂并无信心。他婉转地对毛遂说："你到我门下已经三年，却从未听到有人在我面前称赞过你，可见你并无什么过人之处。一个有才能的人在世上，就好像锥子装在口袋里，锥尖子很快就会穿破口袋钻出来，人们很快就能发现他。而你一直未能出头露面显示你的本事，我怎么能够带上没有本事的人同我去楚国行使如此重大的使命呢？”

毛遂说：“我之所以没有像锥子从口袋里钻出锥尖，是因为我从来就没有像锥子一样被放进您的口袋里呀。如果您早就将我这把锥子放进口袋，我敢说，我不仅会像锥尖子一样钻出口袋，我会连整个锥子都像麦穗子一样全部露出来。”

平原君觉得毛遂说得很有道理且气度不凡，便答应毛遂作为自己的随从，连夜赶往楚国。

到了楚国后，平原君与楚王的商谈进行得十分不顺利。双方从早上一直谈到了中午，还没有一丝进展。毛遂见状便提起宝剑，大踏步跨到台上，逼视着楚王，慷慨陈词，申明大义，他从赵楚两国的关系谈到这次救援赵国的意义，对楚王晓之以理动之以情。他的凛然正气使楚王惊叹佩服，他对两国利害关系的深入分析说服了楚王。

终于，楚王与平原君缔结盟约，并派军队支援赵国，赵国于是解了围，而毛遂也因为立下大功，得到了很大的封赏。

平原君向楚国求援对沉寂了三年的毛遂而言是一次绝好的机会。但是，当初平原君并没有选他当随行的门客之一，毛遂的机会是自己争取的。如果不是毛遂主动出击，再埋没三年也未可知。另外，光有主动争取的意识还不足以成就毛遂，他在说服楚王的过程中所展现出来的口才与胆识，才是他能够“得机而动，则能成绝代之功”的根本保障。

可见，具有真才实学的人如果能善于把握生活中的每一个契机，并且主动寻找，创造机遇，那么他成功的可能性便会大大增加。

【原典】是以其道足高，而名重于后代。

注曰："道高则名随于后而重矣。"

【译文】

人能达到很高的境界，就能成为后世的典范，为后代所敬仰。

【释评】

为什么一个"道足以高"的人会名重于后世？黄石公这样说是想告诉我们，道德名片是为人处世的最佳通行证。不管时光怎么流逝，美德永远是最能打动人心的勋章。在美德面前，所有的不幸都会变得渺小。也许你是一个很平凡的人，但是如果你拥有美德这张最有用的通行证，你的人生就会熠熠生辉，你将由平凡走向成功。只有美德能让你获得真正意义上的成功——一种精神上的永恒。它可以让你以最大的视野观察宇宙，让你的生命在最高的点上俯瞰世间一切，使你的灵魂也随着生命格局的扩张而提升。

我们每一个人做事，要做好事，要好好做事，做有益之事；做人，要做好人，要好好做人，做优秀之人。做事先从做人开始，利人利己的事多做，损人利己的事不做。在那些单纯的美色和财富不起作用的场合，和蔼亲切的风度、令人着迷的人格却可以给人留下美好的印象。

做人做事不可锋芒毕露，应不狂妄，不骄不躁，韬光养晦，大智若愚，大巧若拙。成功之道，在于以德而不以术，以道而不以谋，以礼而不以权。成大事的人往往都有一颗谦虚谨慎的心，都是不夸耀自己真正实力的人。

只有精通做人的道理，经受做人的历练，才能胸怀大智、心盛大事，才能通过健全的心智、充沛的精力、正确的行动，求得事业的成功。而做大事的人，不追究细碎的小事；观赏大玉圭的人，不细考察它的小瑕；得巨材的人，不为其上的蠹蛀而怏怏不乐。因为一点瑕疵就扔掉玉圭，还是得不到完美的美玉；因为一点蠹蛀就扔掉巨材，天下就找不到完美的良材。要做成大事，必须统观全局，不可纠缠小事小节。

北宋名将狄青和猛士刘易之间有一段这样的故事。有一年，狄青将要驻守边塞，他的好朋友韩将军向他推荐了一名猛士，这名猛士叫刘易。刘易熟知兵法，善打恶仗，对狄青守卫的那段边境的情况非常熟悉，狄青带他一起到边境去十分必要。但是刘易有个嗜好，就是特别爱吃苦荬菜，一顿吃不到苦荬菜就会呼天喊地、骂不绝口，甚至还会动手打人，士兵、将领都有点怕他。

刘易和狄青一起到边塞后，忙于军务，每天早起晚睡，从内地带的苦荬菜很快就吃完了，而边塞又见不到这种野菜。这天，士兵送来的菜里缺少苦荬菜，刘易便把盛饭菜的器皿扔到地上，并在军营中大闹不止。士兵将此事报告给狄青，狄青听了非常生气。

就这种情况而言，刘易这样的人是绝不能留在戍边军队中的，但刘易又确实与众不同。狄青考虑到，与这种性格刚烈的人发生正面冲突，不仅会破坏自己与韩将军的朋友关系，而且会影响刘易的情绪；但如果放任不管，势必会动摇其他士兵的军心，影响戍边大业。

于是，狄青出面好言安抚刘易，并立即派人回内地买苦荬菜。一部分将领看见这种情况，非常不服气，说狄将军骁勇善战，屡建奇功，而刘易何德何能，却要狄将军放下军务派人去给他弄苦荬菜吃。个别气盛的将领还想去与刘易比一比武艺，杀一杀刘易的威风。狄将军急忙劝阻众将说："刘易原来不是我的部下，如果你们与他计较，争强斗胜，传出去势必会给敌人以可乘之机。我们现在要加强团结，绝不能争一时之短长。"

当这些话传到刘易的耳中时，他非常感动。狄将军派人专程去买苦荬菜，刘易觉得自己获得了同情和理解；狄将军劝阻将领勿争强斗胜，刘易觉得狄青是真正顾全大局，宽宏大量。他意识到，在这种情况下，自己不该再给军务繁忙的狄将军添麻烦。

过了几天，刘易懊悔地去找狄青，说："狄将军，您治军严整，我在韩将军手下时就有耳闻。这次我因这么点小事就大闹，您不仅不责怪我，还原谅了我，我一定会报答您。"从此，刘易再也没为苦荬菜闹过事，并且逢人便夸狄将军的宽阔胸怀。

狄青不仅收服了刘易，而且收服了其他将领、士兵。更重要的是，他在做事情时站在一定高度上，不因小瑕疵而影响大局的风范，值得每个人学习。

正道章第二

注曰：“言道不可以非正。”

【释评】

中华民族的道德对人的要求是其他任何一个民族都难以相比的。一个人要成大事，就必须讲求方正，即要做到诚挚待人、光明坦荡、宽人严己、严守信义。唯有这样做，才能得到别人的信赖和支持，才能为事业的发展打下良好的基础。

【原典】德足以怀远，

注曰：“怀者，中心悦而诚服之谓也。”

【译文】

高尚的品德足以使四方之人都心悦诚服，前来归顺。

【释评】

对于居上位者而言，“管理”或说“驭人”并不是单纯针对他人，同时也是对自身智慧的考量。真正好的领导者，在管理好他人之前首先能够管好自己的“心”，让自己心怀众人，心存原则，心中赤诚，且能平等待人，这样才能使四方咸服，这便是《素书》所说的“德足以怀远”。

三国时期，群雄并起，刘备于其中并不算是善于谋略作战的人，但是，他具有优良的德行，谦冲自牧，能够以此感召部下为他效力。他虽然缺乏贤才，却具备足够的德行，这正是他异于常人之处。

本章节讲到三种人，人之俊、人之豪与人之杰。总结这三者的特征，无不具有崇高的道德品质，因而才能“怀远”，“一异”进而“得众”。“德”并不一定就是像刘备那样自谦，“德”也包括知人善用。与刘备相比，孙权在自谦方面给人的印象并不深，但他在用人方面与刘备有相似之处。孙权成功的秘诀之一，在于他教育部下的独到方法：“贵其所长，忘其所短。”他不因下属的短处而弃人不用，而是针对他人的优点长处为其提供平台，使他人的才能有充分发挥的余地。

孙权的“忘”不是普通的忘记，而是明知道人的短处，却不去指点他。因为任何人都喜欢被人称赞，讨厌别人吹毛求疵。称赞别人的长处，就会使人产生积极向上的动力，而挑别人的毛病，就会使人萎靡不振，丧失工作的积极性。因此孙权才不吝赞美部下的长处，以此让部下的长处得到最大限度发挥，避免了用人之短。能够做到这点的人，也往往具有广阔的胸襟和抱负。

当然，“德”没有统一的标准，“德”的前提就是尽量帮助别人，做有利于自己和他人的事，而不是损人利己。这看似无“心机”可言，实是做人最长久的“心机”。它直接演化出的结果是“诚实”。人如果不够诚实，往往在政治上就会成为两面派，在社会上就会成为图利弃友的小人。诚实的人才是可以信任的人。自己诚实属于个人修养，能够把诚实的人招为己用，才可以德治天下。

历史上的亡国之君，绝大多数都是不修道德且过于看重财利的人。特别喜欢敛财，那相对应的民众拿的财贷就很少，民众拿的财贷少了，民不聊生，自然就会导致国家灭亡。如崇祯皇帝自己留有大量的银子，在关键时刻却不愿意拿出来给最需要钱粮补给的军队。后来军队暴乱，他不吸取教训，却派人镇压杀戮。太守财了，哪儿还有什么德行？于是最后被闯王夺了天下，自己准备的银子，成了闯王的战利品。

孟子曾说：“闻伯夷之风者，顽夫廉，懦夫有立志；闻柳下惠之风者，薄夫敦，鄙夫宽。”就是说，听到伯夷的风格，贪鄙之徒也会清廉起来，懦弱之辈也会有独立不屈的意志；听到柳下惠的情操，刻薄者就会厚道，胸襟狭小者就会宽大。可见，古人对“风格”所染、教化必“善”的问题也早有察觉并做出了科学的总结，甚至把“善教”强调到超过“善政”的程度。

【原典】信足以一异，义足以得众，

注曰：“有行有为，而众人宜之，则得乎众人矣。”

【译文】

诚实守信可以令异议统一，行事正直公正可以得到众人的拥戴。

【释评】

孟子说：“得天下有道：得其民，斯得天下矣。得其民有道：得其心，斯得民矣。”得天下的前提是得民心。其实，“得民心”的方法，即是在驾驭人才时所用的心理操纵术。“操纵”的方法很多，但唯有“信”“义”可令人心悦诚服。故而《素书》强调了驭人之术中的几项重要因素：“信足以一异，义足以得众……信可以使守约，廉可以使分财。”

《论语·子张》中有言：“君子信，则后劳其民；未信，则以为厉已也。”君子要先得到百姓的信任，然后再去役使他们，否则他们会以为你是有意虐待他们。当年商鞅正是以城门立木赢得民众信赖，此后秦国的改革才得以顺利进行。“诚信者，天下之结也”，信守承诺的人会赢得众人的信赖。因此，古之能成大事大业者，大多以信布于天下。如果把说出的话当儿戏，说了不做，言出不行，则会失去他人对自己的信任，个人形象也会大打折扣。因此，周公旦才会在周成王“桐叶封弟”时说：“人主无过举，不当有戏言，言之必行之。”意思是说，君王的言行举止不应有过失，不应有开玩笑的话，说过的话一定要做到。而周成王也因这番话，直到他死去那一天都“不敢有戏言，言必行之”。

“信”是得人心的第一环，于此基础上再能做到“义”，就可大得人心，得到众人的支持和拥护。这里的“义”是正直。正直的人没有分裂的忠诚，也没有假装。他们无所畏惧也无所隐瞒。正直凝聚着个人全部的人格力量，激发人的内在满足精神。

坚持维护正直原则才能让自己的事业在良性轨道上有条不紊地发展。为此，想要获得众人拥戴，就要做好以下几点：

一是不信谗言。孔子曰：“浸润之谮，肤受之诉，不行焉，可谓明也已矣。”即不要因暗中传播的谗言、切身受到的诽谤而影响自己的生活，也不要盲目传播未经证实的传言。

二是严于责己。多责备自己而少责备别人。勇于承担责任，就会增加自己言语活动的空间，加大话语的影响力。

三是真诚相待。要使别人信任自己，自己首先要信任别人。要待人以诚，与人为善。如果花言巧语，伪装和善，就无法取信于人。

四是重调查，不盲从。未经调查，人云亦云，正义和正直就不存在。一旦好人受冤，坏人被纵容，长此以往，必将失去众人的拥戴。

五是不喜奉迎。拍马奉迎并不是真正的忠诚。只有用勤奋工作和出色业绩来支持领导工作的人，才值得加以赞赏，主动拒绝谄媚之人，自然会将正直的人才吸引到身边。

六是爱憎分明。坚持原则，明辨是非，赏罚分明，这是正直无私的表现，也是树立领导威信的基础。

信可以一异，义可以得众，有信义为依托，人便越来越可靠，就会赢得他人的信任，个人影响力也会越来越大；如果失去了信义，就会渐失人心，个人影响力自然也会变弱。

【原典】才足以鉴古，明足以照下，此人之俊也。

【译文】

才识渊博，便知以古为鉴；聪明睿智，可以体察下属，明辨是非。这样的人可谓人中才俊。

【释评】

“观照力”即是人对事物的判断能力及吸取经验能力。有观照力的人就如《素书》中所言，“才足以鉴古，明足以照下”。其中，“才足鉴古”指的是懂得用前人的经验来指导自己。这样的人拥有洞察未来的清明心眼。

杜牧在《阿房宫赋》中慨叹“秦人不暇自哀，而后人哀之；后人哀之而不鉴之，亦使后人复哀后人也”。以史为鉴，可谓“明智”，但真正心眼明亮的人，除了能够从过去的经验中找到行事的准绳，还能辨明当下的是非，知众而能容众非，即“明足照下”。如果当年魏文侯在乐羊事件上没有做到“明足照下”，或许他就会失去一位良将。

乐羊是战国时期魏国的名将，他才华出众，品德高尚。魏文侯三十八年（前408），他奉命出兵讨伐中山国，而这时他的儿子乐舒正在中山国做官。两国交战，中山国以乐舒为要挟，想迫使乐羊退兵。面对复杂的形势，乐羊对中山国采取了围而不攻的策略。

当消息传到魏国的时候，一些官员便纷纷向魏文侯告状，说乐羊之所以围而不攻，是为了保护他的儿子。魏文侯听了之后，做了两件事：派人到前线慰问部队，为乐羊将军修建新的住宅。“士为知己者死”，“知己”二字便在于对方所给予的信任。魏文侯的信任，令乐羊十分感动。

被围困已久的中山国国君眼看着已经没有突破敌人的方法，只好杀死乐舒，煮成肉羹，送给乐羊。乐羊说：“乐舒帮昏君做事，死如粪土。”随即下令攻城，中山国灭，国君自杀。

“才足以鉴古，明足以照下”，通古今之变，鉴于往事，有资于治道，明察秋毫令奸佞小人无处藏身，同时又能避免贤人良才受冤。观照力强的领导总是能够吸引忠厚的人才为其效命。忠厚之人也会充分发挥才干，为其事业提供最大助力。

【原典】行足以为仪表，智足以决嫌疑，信可以使守约，廉可以使分财，此人之豪也。

注曰：“嫌疑之际，非智不决。”

【译文】

品行端正，可以成为人们的表率；足智多谋，可以决然果断，析疑解惑；诚实无妄，可以使人们信守约定；清正廉洁，则处事必公，仗义疏财。这样的人可谓人中豪杰。

【释评】

领导者需要具备多方面的能力，但最基本的一条是“行足以为仪表”，即树立榜样，凭表率服众。居上位者希望下属如何做，做到什么程度，应当先给他们一个示范。正如《孙子兵法》中说：“令不素行以教其民，则民不服。”“令素行者，与众相得也。”平素从来不严格管教，士卒就会养成不服从的习惯。平时命令能贯彻执行的，表明将帅同士卒之间相处融洽。对于管理者而言，要想取得令行禁止的效果，就必须以身作则。

诸葛亮首次率领军队攻打中原时，因任用马谡结果失街亭，导致兵败而归。回去以后，孔明写了一份自我处罚的文件，让蒋琬申奏后主刘禅，要求自贬丞相之职。

蒋琬回到成都，见到后主呈上书信。刘禅打开书信一看，只见信中写道：“臣以弱才，叨窃非据，亲秉旄钺，以厉三军。不能训章明法，临事而惧，至有街亭违命之阙，箕谷不戒之失。咎皆在臣授任无方。臣明不知人，恤是多暗。《春秋》责帅，臣职是当。请自贬三等，以督厥咎。”

即使当时孔明不认其错，也不会有人过问，但他还是坚持上书请朝廷贬其职，追究自己犯下的过错，这正是孔明做人且作为管理者的光明磊落之处。他严格要求自己，严于律己的做法，不仅没有削弱他的威信，反而更有效地鞭策和激励了满朝文武。这正应了孔子那句话：“苟正其身矣，于从政乎何有？不能正其身，如正人何？”政者正也，要正己才能正人。

当年孟子讥讽梁惠王，说他“庖有肥肉，厩有肥马，民有饥色，野有饿殍，此率兽而食人也。兽相食，且人恶之；为民父母行政，不免于率兽而食人，恶在其为民父母也”。正所谓上梁不正下梁歪，领导者往往主导着一个部门或一个企业的发展方向和道德风气。

“行足为仪表”，无论在哪个时代都是居上位者必备的品质。在古代如此，在现代社会同样如此。当下，最值得尊重的并不是高贵的地位，而是公认的法则。在制度面前人人平等，任何人都得受制于制度，不得凌驾于制度之上，更不能凭自己的意愿胡作非为。凌驾于制度之上的特殊人物的存在是对制度的践踏，他会使制度形同一纸空文，写在纸上，说在嘴里，贴在墙上，却无法落实在行动上。管理者要想实现卓有成效的管理，就必须做到以身作则。

【原典】守职而不废，处义而不回，

注曰：“孔子为委吏乘田之职是也。迫于利害之际而确然守义者，此不回也。”

【译文】

坚守职责而不废弛，恪守道义而不改初衷。

【释评】

黄石公对于“处义不回”的人十分赞赏，认为具备这种品质的人是人中豪杰。他们面对着利害相迫，也绝不会回头，而是坚守自己的原则。

两千多年前，“亚圣”孟子来到魏国，见到魏国国君梁惠王。梁惠王问：“叟，不远千里而来，亦将有以利吾国乎？”孟子听后庄重地说：“王何必曰利？亦有仁义而已矣。”意思是说，大王您何必只图目前的利益？其实只有仁义才是永恒的大利。

这便是孟子关于利与义的千古一辩。按照孟子的说法，仁义也是利，道德也是利，这些是广义的、长远的利，是大利，与那些狭义的金钱财富的利相比较而言，大利便是义。

对利与义的选择，成为人们对正直品格的定义标准。因此，一个品格高尚的人在处世时，能做到以义制利，即使有利可图也不会舍义取利。但只有行大义者才是豪杰吗？处义不回固然必备，但黄石公同时还说，人之杰还当“守职而不废”。坚守岗位，勇于承担责任，敬职敬业，这正是遵守原则的具体表现，是“义”的微观体现。

敬业，是做什么就像什么，是一种工作态度，是一种责任感，更是道德追求。全身心地投入工作，将平凡事做到极致，可以让你在人群中脱颖而出。

【原典】见嫌而不苟免，

注曰：“周公不嫌于居摄，召公则有所嫌也。孔子不嫌于见南子，子路则有所嫌也。居嫌而不苟免，其惟至明乎。”

【译文】

即使处于容易被人猜疑的处境中也不逃避，仍能做自己该做的事情。

【释评】

所谓豪杰即是品行正直的人，这样的人正如南怀瑾先生在《原本大学微言》中提到的中国历史上的英雄和名士那样，是大豪杰，他们肝胆侠义，风流倜傥。《素书》认为，成为人之杰非常重要的一条是“见嫌而不苟免”，即遭到猜疑也要坚持做自己认为正确的事。

真豪杰懂得事有所为，有所不为，知道什么该做，什么不该做。不该做的，就算是可以带来巨大的利益，也不会去做。虔诚守护良知的人，让世人敬重，如屈原、孟子、陶渊明、文天祥等，一世英名照汗青；抛掉良知的人，受世人唾骂，如秦桧、严嵩、慈禧、汪精卫等，遗臭万年遭唾弃。

南宋奸臣秦桧以“莫须有”之罪害死岳飞，为世代百姓所痛恨。人们在位于杭州的岳王坟以铁铸成秦桧夫妇跪像，来表达对他们的愤恨。

话说有个姓秦的浙江巡抚，上任后见秦桧夫妇的跪像受辱，感到颜面无光，想将铁像搬走。为免激起民愤，他命人在夜间偷偷把铁像搬走，扔进西湖。不料，次日湖水忽然发出恶臭。由于岳王坟的铁像不翼而飞，百姓纷纷要求官府调查。不久，铁像竟然从湖底浮起。百姓将铁像捞起，放回岳王坟前，湖水又清澈如初，臭味全无。百姓都认为是秦桧弄污了西湖。姓秦的巡抚见此情形，亦无可奈何。

后来有秦姓人作诗：“人自宋后少名桧，我在坟前枉姓秦。”秦桧就这样向罪恶交出了自己的人格，从此遗臭万年，永远被世人所唾弃。

孟子一句“如欲平治天下，当今之世，舍我其谁也”，一股浩然正气奔涌而出，瞬间便“沛乎塞苍冥”。正是这股浩然正气使孟子不向混乱的现实环境妥协，始终坚持自己的理想和人格，成为顶天立地的大丈夫。

子曰：“富而可求也，虽执鞭之士，吾亦为之；如不可求，从吾所好。”孔子所谓的“求”，不是“努力去做”的意思，而是

"想办法"，如果是违反原则求来的，那是不可以的。孔子认为一个人做什么并不重要，关键在于他能否坚持自己内心的良知，一个品性正直的人，无论什么时候，都不会违背自己的良知。像孟子这样的圣人，并不是不懂得怎样去"阿世苟活"，向时代风气妥协，以便获取利益，他实在"非不能也"，而是不肯为也。坚守自己的良知，宁可为正义穷困受苦，也不愿苟且现实，追求那些功名富贵。这就是圣人人格。

良知，是无愧人生的底色。谁愿意遗臭万年？想必只有那些没有良知、贪婪无耻之辈才愿意。而大多数人都想保持着清白的良心，屹立于天地间，问心无愧地过完此生，以求无憾。

修身养性，做上品人，一生以养浩然正气为人格修养大目标，也许下一位圣人就在这种修养过程中渐渐浮出历史水面了。人总有一天会走到生命的终点，金钱散尽，一切都如过眼云烟，只有精神长存世间，所以，人生追求的应该是一种境界。

【原典】见利而不苟得，此人之杰也。

注曰："俊者，峻于人也；豪者，高于人；杰者，桀于人。有德、有信、有义、有才、有明者，俊之事也。有行、有智、有信、有廉者，豪之事也。至于杰，则才行足以名之矣。然，杰胜于豪，豪胜于俊也。"

【译文】

见利而不忘义，这样的人可谓人中豪杰。

【释评】

世间之人总是存在一种惯性：对于获得的嫌少，想要的更多；对于付出的嫌多，希望的更少。这便是国学大师冯友兰所言的利太过而义不及。正是因为知晓世人的这种惯性，冯老在研究哲学的同时，也在用自己的一生克服这种潜伏于心的惯性。

从十几岁时接触哲学开始，冯友兰先生便清楚地知道，自己的“义”就是哲学。虽然学术是他人生的重点，但他的心中也存有事功之心，这便是对利的要求。于是，他用尽毕生的精力去完成自己的义，同时，极力克制对利的渴望。冯老的人生，或许未能完全舍弃利，但在克服利过而义不及的惯性上，无疑还是成功的。如冯老这样，能在利与义的抉择中，选择义的人并不多，但并非没有。义与利的问题，向来是哲学家们思考的问题，冯友兰认为，每种人皆有他们对于社会权利及职分，及对于他人的权利与职分。在普通的情形中，人对于求权利，总易偏于太过，而对于尽职分，则总易偏于不及。简单来说，冯老认为，“义”就是自己应做的分内之事，“利”就是理应获得或者是超出合理范围的权利。

从前，有一个农夫，每天辛劳地工作，但仍然很贫穷。一天，他在一片离家很远的树林里碰到一位老妇人。老妇人对他说：“我知道你每天很辛苦，得到的却微不足道。我送你一枚魔法钻戒，它能够使你拥有财富。只要你说出你想要的，同时转动手上的戒指，就能得到希望拥有的东西。但戒指只能实现一个愿望，所以你在许下愿望之前要仔细考虑清楚。”

惊愕的农夫接过戒指，激动地踏上了回家的路。晚上，农夫遇到了一个商人，他向商人讲述了这段奇特的经历。商人邀请农夫晚上住在他家，并趁夜深人静之时，用一枚相同的戒指偷偷换走了农夫的魔法钻戒。

农夫早上醒来时，便看见商人被一堆金子压死了。农夫在金子堆中找到了戒指，带回了家中。妻子得知此事后按捺不住激动，说：“试试看，让它带给我们大片的土地。”因为亲眼看到商人被金子压死的一幕，农夫担心要是轻易向这枚魔戒许愿，会给自己带来同样的噩运。于是他对自己的妻子说道：“我们必须仔细对待我们的愿望，不要忘记，这枚戒指只能帮我们实现一个愿望。”农夫又解释道：“最好让我们再苦干一年，我们将会拥有更多良田。”从此，他们竭尽全力工作，并且获得了足够的钱，买了他们所希望拥有的土地。农夫的妻子想要一头牛和一匹马。农夫说：“亲爱的，我们何不再继续苦干一年？”于是一年后，他们买回了牛和马。

“我们是最快乐的人，”农夫说，“不要再谈什么魔法钻戒了，我们拥有年轻的生命，拥有勤劳的双手。等到我们老的时候，我们再去想那戒指吧。”三十年以后，农夫和他的妻子已经变老，他们拥有了所希望拥有的一切，但他们一直没有对钻戒许过愿。

农夫用对职分的义，换来了想要的利。现实的生活中，我们亦需如农夫一般，坚守对义的付出，把持对利的追求，唯此方能克服利过而义不及的惯性，活出不被利所困的潇洒、惬意的人生。

求人之志章第三

注曰："言志不可以妄求。"

【释评】

贤人必求其志，任何想要获得成功的人都必须谨记下面的格言："有志者，事竟成，破釜沉舟，百二秦关终属楚；苦心人，天不负，卧薪尝胆，三千越甲可吞吴。"我们需要提升生存的智慧，思考成功，追求卓越，对人生的意义、人生的价值、人生的幸福等问题交出满意的答卷。不甘平庸，崇尚奋斗，正是人生之歌的主旋律。

【原典】绝嗜禁欲，所以除累。

注曰："人性清净，本无系累；嗜欲所牵，舍己逐物。"

【译文】

杜绝不良嗜好，禁止痴心妄想，可以免除不少烦恼和牵累。

【释评】

在科技发达、物质丰富的社会，人们心中的欲望经常被挑逗得像是看见红色斗篷的斗牛：他人暴富的经历，让人们血脉偾张，跃跃欲试；时尚名牌满天飞，哪能心如止水；美女香车招摇过，人们的心早已蠢蠢欲动；更不能忍受的是别墅洋房的诱惑……因此，太多的时候，人们会被世上的名利、金钱、物质所迷惑，心中只想得到，只想将其统统归于己有，而舍不得放下，于是心中就充满了矛盾、忧愁、不安……因为想要的太多，而使身上背负远远超出负荷的东西。

面对这种情况，解决的办法只有一个，给自己的人生做一次“减法”，将那些多余的“欲”扔掉，“绝嗜禁欲，所以除累”。财富与荣誉只是外在的荣光，真正的幸福来自发现真实独特的自我，保持心灵的宁静。

简单生活不是吝啬，也不是过苦行僧般的生活。简单未必回归田园，简单也不是无所事事，简单是回到心灵的单纯明净与精神的轻松愉快中。简单生活是经过深思熟虑后，呈现真实自我，过上目标明确的生活，是一种丰富、健康、和谐、悠闲的生活方式。

“恭俭谦约，所以自守”是保持操守的必要条件。从内心开始，在衣、食、住、行上遵循和把握一种适度原则，做到简化物质生活，寻找到内心世界新的平衡点，抵制物质带来的焦虑感。正如冯友兰先生所说：“与其设种种方法以满足欲，不如在根本上寡欲。欲愈寡即愈易满足，而人亦愈受其利。寡欲之法，在于减少欲之对象。”杜绝欲望的好处在于，需求越少，得到的自由就越多。

当一个人为了追求金钱而不惜一切的时候，也就等于把自己的生命交给了金钱，自己也就变成了金钱的奴仆，得不到的时候为得不到而忧愁，得到了又因为担心失去而焦虑。他把坚持多年的晨练和傍晚散步的习惯丢掉了，因为时间就是金钱，不能把宝贵的时间浪费在散步上；他与妻子儿女在一起的时间越来越少了，因为他认为，在家里待一个晚上不会有任何效益，而他出去一个晚上，一笔大生意可能就成了。

当一个人把拥有一栋豪宅作为自己的目标和荣耀的时候，也就把自己变成了豪宅的仆人，每一天置身于豪华房间里，精心地去布置、去摆设，精心地去维护它的整洁和秩序，为了它的尊贵而谨小慎微。本来家是一个让你休息的地方，但有了豪宅就不同了，它让你变成了它的仆人，整日让你为它服务。

有了一部好车，他就开始每天为它担心了，担心被别人撞了，担心丢失了，还要时时看着周围人们是否都投来嫉恨的目光。

穿上了一套高级的衣服，种种禁忌就来了，要定期干洗，要定期熨烫，要躲避拥挤，要有配套的衬衣和皮鞋，还要时刻注意走路的姿势和形象。

追求生活的品质并没有错，但是品质生活并不一定就体现在物质层面，它还蕴含着丰富的精神活动，否则越是奢侈就会显得越没有品位。一个需要用浑身的金石来彰显自己财富的人，从头到脚无不凸显出佩戴者的庸俗。其实人生在世完全没有必要搞得那么“隆重”，拥有简单的生活、简单的心才容易获得幸福与快乐。

【原典】抑非损恶，所以禳过。

注曰：“禳，犹祈禳而去之也。非至于无，抑恶至于无，损过可以无禳尔。”

【译文】

抑制不合理的做法，减少邪恶的行径，可以避免不少祸患。

【释评】

每个心念后面都有一个行动，那么分出心念中的善恶，做出取舍，自己的行动才不至于伤害到无辜的人，伤害到那些我们不愿伤害的灵魂。你可以说，人总是有恶的一面，有时候，很难掌握，但是黄石公说：“抑非损恶，所以禳过。”意思是，如果能从心念中觉察出恶的因素，那么制止恶行的可能性就大很多。

你我皆为凡人，有着凡人的七情六欲，这个世界上，没有至善的灵魂，也没有至恶的灵魂。只是，不同的心念中蕴含着灵魂的善恶。我们不是天使，但也不是魔鬼，所以，在心念里辨别灵魂的善恶显得尤为重要。

一个犯人从监狱里逃了出来，他坐上了回家的火车，没有人认识他，拥挤的火车上也没有座位，他只能在卫生间边上跟人挤在一起。他正在寻思着偷别人的钱包，下了火车之后他还是要生存的。这时，一个年轻的姑娘红着脸问："大哥，你能帮我看一下厕所的门吗？门坏了，从里面锁不上。"他犹豫了一下，点点头。姑娘进去了，他尽心地看守。为了这份信任，一个素不相识的姑娘，一个略显尴尬的请求。他的内心挣扎着刚才偷钱的事情，面对那个姑娘的信任，他觉得他刚才的想法实在是龌龊。姑娘出来了，红着脸跟他道谢："谢谢大哥，您真是个好人！"

好人？一个越狱出来的犯人，正打算找机会偷钱。他身上背负着沉重的罪孽，他从监狱里逃了出来，无疑又加重了自己的罪，还要去偷钱，这又让他向恶的方向滑去。

坏人？为了一个素不相识的姑娘，帮忙看着厕所的门。这着实不是一个坏人的表现。坏人应该是趁火打劫，去抢了那个姑娘的钱，自己下了火车挥霍一把，继续过那种逍遥法外的生活。

在他的心里，灵魂的善恶在此时激烈地交锋，在心念里，他看见了黑白两条不同的路，也看到自己心里那份良知和善良，最终，他选择在火车到站以后，去公安局自首。这个决定让他最终无法重获自由，后半辈子都得在铁窗下度过。后来的审问中，警察问他为什么选择自首，他深深地叹了口气，讲述了在火车上遇见的那个姑娘。他说，那个姑娘的信任让他突然明白，他不能一直这么浑浑噩噩地过下去，他是有良心的，他不能辜负那个陌生姑娘的信任。他说，虽然他重新回到了监狱，在高墙铁窗下度过余生，但是这也比逍遥法外的时候，每天面对内心的煎熬要坦然许多。

原来，人要面临的最大的痛苦不是身体的不自由，而是，我们不得不放弃自己的善，承认恶的一面，并且面临无尽的心灵苦楚。因为，人心向善。为了一个陌生的微笑，一个微小的信任，从心念中找出自己灵魂里的善与恶，然后再做决定，这个决定才能让人永远无怨无悔。

古人说，三思而后行。我们在心念里，要首先区分那些灵魂里的善恶，只有这样，在做出每个决定之后，我们才不会后悔，不会因为这样模糊的善恶的心念和行动对别人造成伤害。人心向善，无论我们是否曾经在恶的引诱下投降、滑落和迷失，从现在开始，辨别内心的善恶，向善的方向走来。

有些人，因为一时贪念，无法辨识灵魂的善恶，放弃了向善的心，滑向了罪恶的深渊，也许事后我们会看到他们那么痛心疾首地悔不当初，会动恻隐之心，但是世上没有一种药剂能够倒转时间，让我们重新给他们一个选择的机会，没有人能够抹去他们的恶的心念造成的损失和伤害。世上可以有宽恕，但是，所有人都知道，宽容不等于一切都未发生过。无论是为了陌生的信任还是为了熟悉的期望，终究是为了灵魂的安宁。

【原典】贬酒阙色，所以无污。

注曰："色败精，精耗则害神；酒败神，神伤则害精。"

【译文】

不沉迷于酒色，可以保持身心纯洁无污。

【释评】

自古就有句俗语，叫作"万恶淫为首"。这里的"淫"，通常指的是邪淫，邪淫是指"一切不正当的过激的行为"，通俗地讲，一切不受国家法律或社会道德所认可的过激行为，均可理解为“邪淫”，因为不正当，故为恶，又因此恶让人“享受”而令人欲罢不能，能让人飞蛾扑火地做出一些丧失理智、无良无德的事情来，故“万恶淫为首”。

善有善报，恶有恶报。一个人，一旦播下了邪淫的恶的种子，早晚必会收获损德削福的恶果，种下的恶种子越多，日后收获的恶果亦越多，最常见的恶果为：穷困潦倒、诸事不顺、厄运连连、疾病缠身、婚姻坎坷、家庭破碎、子孙不孝等。为何邪淫的影响会如此严重？因为“种瓜得瓜，种豆得豆”，乃亘古不变的自然规律。

对农作物而言，种子是种在土里或田里的，而对我们每个人而言，种子则种在我们自己的心田，比如，我们帮助了某个人，这颗种子并不一定就种在那个被帮助者的身上，而是首先种在了我们自己的心田，所以，当这颗种子日后成熟时，当我们需要帮助时，帮助我们的，常常不一定是我们曾经帮助过的那个人，而往往是另一个出乎预料的人。所以，如果我们平时经常无私地帮助别人，在我们自己的心田种下了无数善的种子，日久天长，我们必定也会经常地感受到别人无私的帮助。反之，如果我们平时经常通过各种方式直接或间接地去伤害别人，在我们自己的心田种下了大量恶的种子，日久天长，我们必定也会经常地感受到一些直接或间接的伤害。

古话说：“积善之家必有余庆，积恶之家必有余殃。”只有将一切邪淫的恶的种子断绝清理后，身心清净，天清地宁，我们的福德才能积存起来，邪淫的当下，虽然很快乐，貌似很“享受”，但是，享福即消福，福尽必祸至，祸至苦海至。

【原典】避嫌远疑，所以不误。

注曰：“于迹无嫌，于心无疑，事乃不误尔。”

【译文】

远离是非嫌疑，可以免除差错和谬误。

【释评】

正所谓“害人之心不可有，防人之心不可无”，因此，黄石公的“避嫌远疑，所以不误”应该成为职场中人必须谨记的原则。身处职场，你必须认清周围环境的险恶，谨慎行事，才不至于引火上身，正所谓“谨慎能捕千秋蝉，小心驶得万年船”。荀子在论人性时说：“人之性恶，其善者伪也。”这种说法固然有些偏激，但在现实生活中与人打交道时的确要谨慎小心一些，对交往不深的人不妨多点戒心，考虑一些防患对策，为自己留些“逃生”的余地，才不至于在事情发生之际追悔莫及。

“害人之心不可有”，道理不言自明，从小到大长辈们就教育我们要坚持这个人生信条；但“防人之心不可无”，这一点常常为我们所忽略，没有将其摆到心中合理的位置。究其原因，也许是我们错误地认为其他人都会像自己一样坚持“害人之心不可有”的信条。

事实上，我们的世界远没有想象中的那样美好。在漫长的人生旅途中，我们总是会遇到这样或那样的陷阱、险阻，稍有不慎便会失足，而这一失足究竟能酿出多少悲剧，也许连我们自己都说不清楚。

丽丽是某化妆品公司的业务骨干，她的业绩一直非常突出，与上司丁姐的关系也很亲密。新来的业务员小洁被安排到丽丽带领的这个小组，小洁很年轻，一副单纯简单的模样，和丽丽很谈得来，两人很快成了好朋友。

一次，丽丽因为疏忽，在工作中出了一个小差错。要求严格的丁姐严厉地批评了她。丽丽有些不服气，一整天都板着脸不说话。吃午饭的时候，小洁在丽丽面前把丁姐大骂了一顿，似乎早就看不惯那个“老女人”独断专行的作风。话虽然有点过分，但还是让丽丽心里舒服了一些，使她忍不住跟着骂了几句。

这件事丽丽并没有放在心上，但不久，她却发现许多重要客户都不再和自己联络了，最令人震惊的是，小洁的桌上竟然摆着这些客户的详细资料。丽丽愤怒地找到丁姐，没想到丁姐冷淡地说：“自己的工作没做好，就不要抱怨别人。还有，有意见可以当面跟我谈，不用背后议论。”

一瞬间，丽丽明白了一切，但气愤和后悔早已于事无补，几天后，她便离开了这家公司。

故事中，丽丽的错误在于她只有不害他人之心，却没有防范他人之心。她识人不清，没有看到小洁单纯的外表下包藏着的祸心，结果错误地将心存歹意的小人当作朋友，留下了可以为人利用的把柄，掉进了他人挖好的陷阱中。

人生从某种角度看也是一场战争。在这场战争中，为了求生存，必须要有慎重的生活方式和态度，这样才不至于上某些人的当，吃大亏。所以，请你记住：害人之心不可有，防人之心不可无，万丈深沟终有底，唯有人心不可测。

现代职场上虽然不比战争年代间谍潜伏，但我们还是应该多存一个心眼儿。尤其是刚刚走上工作岗位的新人们，更应该小心翼翼地处理手边的每一件事。因为你入职不久，对身边一起工作的同事没有更多的了解，毕竟是人心隔肚皮，知人知面不知心。别人的想法你不可能尽知，何况手有五指参差，人也良莠不齐，有些人就专捡别人的弱点进攻以获取不义之财，这种人比窃贼更心狠手黑，更难以提防。一旦被他们抓住机会，你就会面临灭顶之灾。

【原典】博学切问，所以广知。

注曰：“有圣贤之质，而不广之以学问，弗勉故也。”

【译文】

广泛学习，切磋学问，可以扩大自己的知识面。

【释评】

学习没有时间上的限制。所以要做到“广知”，就须“博学切问”。博学多问的人，才能够扩展知识面。

当年国学大师胡适曾经说：“做学问应该像北京大学的季羡林那样。”季老总是马不停蹄地在学问的路上奔走，从不肯让自己有半刻停歇下来。对季老来说，学习没有时间、地点和年龄的限制，他从年幼之时进入学堂，到耄耋之年仍然笔耕不辍，学习是他每天都要做的一件事，就像吃饭睡觉一样平常，又不可缺少。季老一直推崇终身学习制，就像他在一篇文章中说的那样，他想做的是一个“永恒的大学生”。

“我的大学生活是比较漫长的：在中国念了四年，在德国哥廷根大学又念了五年才获得学位。在哥廷根大学，我简直如鱼得水，到现在已经坚持学习将近六十年。如果马克思不急于召唤我的话，我还要继续学下去。”

季老不会因为不在学校，没有老师在身边，或者因为自己已是一位八九十岁的老者，就觉得自己已经才高八斗，学识渊博。相反，随着年龄的增长，他自觉不惑越多，感叹“老马不识途”，迫切地希望自己获得更多的知识，给自己注入新的血液，学习的积极性也就越发强了起来。

不断地问“为什么”才能在学习中不断更新自己的知识，在生命的延展中不断焕发希望和蓬勃之气。虽至耄耋，学亦不止。这不仅是一种行为，更是一种斗志和顽强的生命力。

除了“博学”，“切问”也是学习的重要态度。陶渊明作

《五柳先生传》以自况："好读书，不求甚解；每有会意，便欣然忘食。"他称读书只求领会要旨，不刻意在字句上下功夫，由此"好读书不求甚解"的话便流传下来。但不知道这句话到了谁的口中，变成了带有贬义色彩的话，今人还是强调"好读书"同时也要"求甚解"。

季羡林先生在谈对古书文字进行考证的时候曾经说过，考证的粗精拙劣，完全决定于个人的学术修养和思想方法。如果在对文字和语言进行考查取证时，好比一个马大哈，或者思想呆板，不敢越前人的雷池一步，那么必然做不好考证工作。因此在考证时，一定要求甚解，这是学术道德的问题。

孔子说："吾十有五而志于学，三十而立，四十而不惑，五十而知天命，六十而耳顺，七十而从心所欲，不逾矩。"孔子的一生就是学习的一生，他从十五岁立志学习，一直到去世都在孜孜以求。为了求学，孔子常常连腹中饥饿都感觉不到，废寝忘食。一旦学问上有所获益，孔子又会快乐得不能自已，甚至忘记忧愁，也忘记了老之将至。孔子的为学精神是永远年轻的，所以才能"苟日新，日日新，又日新"。只有终生不倦地学习，才能时时保持进步的状态，随时都有新的境界。

【原典】高行微言，所以修身。

注曰："行欲高而不屈，言欲微而不彰。"

【译文】

行为高尚，言语谨慎，可以平心静气、修身养性。

【释评】

如果用现代流行语来解释"高行微言"，便是"高调做事，低调做人"。正如孔子说"讷于言"而"敏于行"的人，才是真正的君子。

"高调做事"不是张扬与夸耀自己的功业，而是指为人要保持高尚的修养。当年管宁与华歆同席读书，华歆因门前有富贵人家乘车经过而跑去观望，管宁便与其割席分坐。管宁割席，不与贪慕荣华的人交往，正是其“高行”的体现。

高调做事，是在为人处世上向高标准看齐。张廷玉是清朝有名的重臣，雍正初晋大学士，后兼任军机大臣。张廷玉虽身居高官，却从不为子女们谋求私利。他秉承其父张英的教诲，要求子女们以“知足为诫”，其代子谦让一事即为突出的例子。

张廷玉的儿子张若霭经过乡试、会试之后，于雍正十一年（1733）三月参加了殿试。诸大臣阅卷后，将密封的试卷进呈雍正帝亲览定夺。雍正帝在看至第五本时，认为此考生言辞恳切，“颇得古大臣之风”，遂将此考生拔至一甲三名，即探花。后来拆开卷子，方知此人即大学士张廷玉之子张若霭。雍正帝十分欣慰，他说：“大臣子弟能知忠君爱国之心，异日必能为国家抒诚宣力。大学士张廷玉立朝数十年，清忠和厚，始终不渝。其朝夕在朕左右，勤劳翊赞，时时以尧、舜期朕，朕亦以皋、夔期之。张若霭秉承家教，兼之世德所钟，故能若此。”并指出，此事“非独家瑞，亦国之庆也”。

可是张廷玉不这么认为，他得知消息后恳切地向雍正帝表示，自己身为朝廷大臣，儿子又登一甲三名，实有不妥。他说：“天下人才众多，三年大比，莫不望为鼎甲。臣蒙恩现居官府，而犬子张若霭登一甲三名，占寒士之先，于心实有不安，倘蒙皇恩，名列二甲，已为荣幸。”张廷玉是深知一、二甲的差别的，但是为了给儿子留个上进的机会，他还是提出了改为二甲的要求，并再次恳求：“皇上至公，以臣子一日之长，蒙拔鼎甲，但臣家已备沐恩荣，臣愿让与天下寒士，求皇上怜臣愚忠。若君恩祖德佑庇臣子，留其福分，以为将来上进之阶，更为美事。”张廷玉“陈奏之时，情词恳至”，雍正帝“不得不勉从其请”，将张若霭改为二甲一名。不久，在张榜的同时，雍正帝为此事特颁谕旨，表彰张廷玉代子谦让的美德，并让普天下之士子共知之。

可喜的是，张若霭十分理解父亲的做法，而且不负父亲的厚望，在学业上不断进取，后来在南书房、军机处任职时，尽职尽责，颇有乃父之风。其父能秉低调做人之原则，而其子又不负众望，能行高标之事，实在是皆大欢喜。

除了“高行”，“微言”同样是修养品性的一大法则。所谓“微言”即是“低调做人”，注意在言语上不夸说，出言谨慎，思虑过后再出口。这是中国传统文化几千年来一贯倡导的美德。儒家向来反对夸夸其谈，巧言令色。孔子就认为巧言令色之人“鲜仁”（缺乏仁爱之心）。

世上的事情本就真假难辨，亲眼看到的尚不可信，没有亲眼所见的事情，更不可多说、胡说。有几分证据说几分话，看似容易，行之则难，一来人们说话总喜欢渲染，不知不觉就会把事实夸大，二来人们为了达到种种目的会忽视言语不实的危害。

【原典】恭俭谦约，所以自守。深计远虑，所以不穷。

注曰：“管仲之计，可谓能九合诸侯矣，而穷于王道；商鞅之计，可谓能强国矣，而穷于仁义；弘羊之计，可谓能聚财矣，而穷于养民。凡有穷者，俱非计也。”

【译文】

做人处世上恭敬、勤俭、谦逊、节约，这样才能修身自省，守住家业；深谋远虑，才不至于陷入难解的困境中。

【释评】

目的地对于旅行家而言十分重要，但是，心中光有目的地的人依然会迷路。因为他手中缺少地图。地图的指引，是通向终点的重要保障。旅行是如此，办事也是如此。在每一个目标实现之前，人人都有很长一段路要走。但是，如果在行动以前，心中没有通向目标的“地图”，那么每一步行动不仅不能引导人们靠近目标，反而会离目标越来越远。

因此，在每一次行动以前，全面系统地分析各方面的情况，制订最详细的计划，做最坏的打算，寻找最佳的方式，画出“成功路线图”无疑是至关重要的。两千多年前，黄石公在《素书》中便提出了这一重要原则：深计远虑，先揆后度。这是提高办事成功率的“验”之法，即“规划”。

规划在事情发展过程中的作用不容忽视，中国古代著名军事家孙武对此深有体会。他还在齐国之时，便对自己的人生有了具体的规划，且找到了实现理想的最佳地域——吴国，于是他毅然前往吴国。他在率兵出征之前，对战争的形势做出充分的估计与规划，在战场上，从容应对，实践了他“夫未战而庙算胜者，得算多也；未战而庙算不胜者，得算少也。多算胜，少算不胜”的军事理论。

总之，无论做什么事，都不能只注重眼前的利益，不能只把目光局限于当前，要放眼于未来，要学会高瞻远瞩，有远见才能成大事。这就是《素书》中所提倡的“深计远虑”。在事情开始之前就能预测其发生，在事情的开始就预见其结果，能够从一成不变的事情中推测事情的变化，就叫作远见。能够懂得并做到这一点的人，就叫作智者。因此，要培养自己的远见意识，首先要增加自己对社会的了解，开阔视野，仔细观察身边的环境、人、事，学会将各种事情联系起来思考，这样就能经常抢在他人之前发现机缘，给自己一个成功的机会。

【原典】亲仁友直，所以扶颠。

注曰：“闻誉而喜者，不可以得友直。”

【译文】

亲近仁义之士，结交正人君子，这样可以扶危助困，摆脱衰败。

【释评】

曾有哲学家说过："和你一同笑过的人，你可能把他忘掉；但是和你一同哭过的人，你永远不会忘记。"这样的朋友，是《素书》所言之"仁友"。

正如古代的荀巨伯，在探望卧病在床的朋友时，恰遭敌人攻城杀掳。在所有人都携妻挈子逃难时，荀巨伯却不肯丢下病重的朋友离开。他说："你把我看成什么人了？我远道而来，就是为了看你。现在，敌军进城，你又病着，我怎么能扔下你不管呢？"说着便转身给朋友熬药去了。

朋友苦求他离开，但荀巨伯无论如何也不答应。当敌军撞开屋门时，荀巨伯指着躺在床上的朋友说："我的朋友病得很重，我不能丢下他独自逃命。"并正气凛然地说："请你们别惊吓了我的朋友，有事找我好了。即使要我替朋友去死，我也绝不皱眉头！"

敌军闻言很是感动，而后撤出，不曾伤害二人性命。

仁爱正直的朋友是黄金人脉圈中不可或缺的两种人。要想多交朋友，建立一张人际关系网，你就要积极主动，找到与朋友沟通的技巧，主动地了解对方的兴趣爱好，比如，平时相处时多观察了解，向他的朋友打听询问，或者查阅他的个人资料等。

结交朋友不仅要把握机遇，同时还要创造机遇。如果你想和刚认识的朋友进一步发展关系，你可以请他到你家做客。人与人之间接触得越多，彼此间的距离就可能越接近。和别人取得联系，建立初步关系之后，要设法进一步巩固和发展。

【原典】近恕笃行，所以接人。

注曰：“极高明而道中庸，圣贤之所以接人也。高明者，圣人之所独；中庸者，众人之所同也。”

【译文】

主动接近那些品性敦厚正直的人，乐于宽恕他人的过失，这就是能够获得正直朋友的原因。

【释评】

交友有一个选择的过程。开始是结识和初交，在交往过程中互相了解以后，才由初交成为熟悉的朋友。从学习、工作的需要出发，本着互惠互利、共同发展的原则，结交一些志同道合的朋友是有益的。如果不仅志同道合，而且感情深厚，心灵相通，这样就可以从合作共事的朋友变成生死相依、患难与共的知音知己。

但在交友过程中必须注意《素书》中提到的“近恕”。“恕”指品行正直之人，“近恕”即指与品行正直之人交友。《孔子家语》说：“与善人居，如入芝兰之室，久而不闻其香，则与之化矣。与不善人居，如入鲍鱼之肆，久而不闻其臭，亦与之化矣。”可见，有时决定身份和地位的并不完全是个人的才能和价值，而是他与什么样的人在一起。

除了朋友，亲戚同样是黄金人脉圈中最闪耀的金子，是黄金人脉圈中必备的第三种人。但同时必须注意的是，亲戚关系又是一种比较复杂的关系，主要表现在亲戚之间存在着多种差异，比如经济的、地位的、地域的、性格的等。这些差异既可能成为彼此交往的原因，也可能成为产生矛盾的原因。

因此，亲戚关系和其他关系一样需要谨慎对待，在与亲戚交往中应注意以下问题才能使彼此关系更融洽、更牢固：第一，金钱往来要清楚，切忌糊里糊涂；第二，不要高高居上或强人所难；第三，要体谅亲戚，不要为所欲为。

俗话说，不是一家人，不进一家门。血浓于水的亲情永远是人们心灵的寄托，同样是人们遇到困难时的救星。其实无论是谁，与他保持良好的关系，就像进行一次储蓄，既能得本，又可得利。适当进行感情投资，同周围的人建立并保持友谊，有利于在社会上建立广泛的人脉关系，帮助自己树立一个良好的形象，生活便会更加从容潇洒。

【原典】任材使能，所以济物。

注曰："应变之谓材，可用之谓能。材者，任之而不可使，能者，使之而不可任，此用人之术也。"

【译文】

任用德才兼备之人，使其才能得到充分发挥，这样才能成就大事业。

【释评】

三国时期大思想家刘劭说："人才各有所宜，非独大小之谓也。""夫人才不同，能各有异。"所以，用人不能只看能力大小，更要看其适不适合某一职位。人尽其才，才能达到《素书》所说的"济物"，即成就大事业。从古至今，凡是优秀的领导者都能注意到能力与职位匹配的问题。他们使用人才时，能够通过寻求好的时机和势态，选择合适的人来创造出他想要的效果。换句话说，也就是"知人善任"。

三国时期的刘备就是知人善任的典范，他谋不如诸葛亮，勇不如关羽、张飞，但他深知用人的道理，他看重情义，又懂得给有才华的人安排适合的位置，因此众人都很佩服他。

在三顾茅庐之前，刘备手下虽然有关羽、张飞、赵云等大将，可一旦和曹军交战则屡战屡败。自从诸葛亮出山相助之后，刘备的作战谋略大大进步，使曹操对其刮目相看。诸葛亮虽然料事如神，但只是一个文弱书生，不能冲锋陷阵，因此刘备也就少不了关羽、张飞、赵云那样的将才。

曹操也是一个求贤若渴的人，他为降服关羽，不惜降格与其约法三章，对他以礼相待，但是关羽始终对刘备忠心不二。关羽过五关、斩六将，不远千里去寻找自己的结义大哥；张飞虽然性格鲁莽，但刘备看中的是他的侠气，张飞也因此忠心耿耿。可以说没有刘备知人善任的过人之处，也就没有后来他与曹操、孙权之间的抗衡和较量。

刘备善于择人而用，与汉高祖刘邦极为相像。刘邦平定天下之后，在洛阳的庆功宴上就曾说过这样的话："夫运筹策帷帐之中，决胜于千里之外，吾不如子房；镇国家，抚百姓，给饷馈，不绝粮道，吾不如萧何；连百万之军，战必胜，攻必取，吾不如韩信。此三者皆人杰也，吾能用之，此吾所以取天下也。项羽有一范增而不能用，此其所以为我擒也。"

刘邦知道自己不是全才，在很多方面不如自己的下属。他之所以能打败不可一世的楚霸王项羽，一统天下，是因为他能够给不同的人提供适合其发展的平台。

尺有所短，寸有所长，无论是汉高祖还是刘备，"择人任势"都是其成功必不可少的要素之一。在这个"人才最贵"的时代，领导者首要的条件是要有一种鉴别人才的眼光，能够识别出他人的优点，并利用这些优点，使所有的人才都能在适当的位置上发挥他们的才能，让他们创造出最大的财富。

【原典】瘅恶斥谗，所以止乱。

注曰："谗言恶行，乱之根也。"

【译文】

憎恨奸恶之徒，排斥谗佞小人，这样可以防止社会动乱，维持太平盛世。

【释评】

人们一般都喜欢听对自己的夸奖，而不喜欢听对自己的责备。不过，前辈先贤却宁可接纳君子的责备，也不轻信小人的谄媚。君子的责备，往往是真诚地指出错误，劝导人们向善，完善人们的品行。而小人的赞美，往往出于某种机心取悦于人，是为了蛊惑人心，以达到自己某种不可告人的目的。所以，君子的责备，即便严苛，人们也应该恭听躬行；小人的赞美，即便悦心，也不可轻易入耳。只要自己胸怀坦荡，仰不愧天，俯不怍地，小人的忌恨也就没什么值得挂心的了。

明朝有个叫徐均的人，担任过阳春（今属广东）主簿。阳春地处偏僻，山高皇帝远，当地的土豪劣绅盘踞在那里，肆无忌惮地干尽坏事。以往阳春的长官一到任，土豪就送给他很多财物行贿巴结，二者从而互相勾结。

徐均到任后，邑吏告诉他按惯例应当去拜访莫大老。因为莫大老在当地很有势力，得罪不起。徐均说："这人不也是朝廷的属民吗？不服管就用王法来制裁他。"于是拿出朝廷赐的两把剑给人看。莫大老害怕了，赶紧到官府拜见请罪。徐均查清他的各种违法行为，就把他逮捕入狱。第二天一早，莫大老家的人给他送来两个瓜和几个石榴，实际上里面全是黄金珠宝。徐均连看都不看，就命人把送东西的人抓起来关到府里。阳春在徐均的治理下，社会安定，百姓安居乐业。

后来，徐均又被调往阳江，阳江在他的治理下，同样非常安定。徐均执法公正廉明，他根本不在乎被小人忌恨，也不在乎受权势打击。只要为人正直无私，那小人的伎俩又奈我何。

徐均为人耿直，为官清廉，并且能够不为利益所惑，始终保持自己的操守，着实难能可贵。此外，他还有察人之明，看得穿小人的不轨之心，自然不理会他们的蛊惑，也不在乎他们的憎恨，自得一种常人难及的洒脱境界。

【原典】推古验今，所以不惑。

注曰："因古人之迹，推古人之心，以验方今之事，岂有惑哉？"

【译文】

以古人之兴衰成败为鉴，体察当世，便可以减少迷茫、疑惑。

【释评】

前人宝贵的、合理的经验能使我们少走许多弯路。虽然时代在进步，但历史总是在时光交替中以另一种版本在现世演绎。因此黄石公才说："推古验今，所以不惑。"王氏在解读此句时认为："若将眼前公事，比并古时之理，推求成败之由，必无惑乱。"因此，前人积累的知识和经验我们要学习，但最重要的是从中借鉴，并学以致用，避免走弯路。

有个渔人有着一流的捕鱼技术，被人们尊为"渔王"。然而，"渔王"年老的时候非常苦恼，因为他的三个儿子的捕鱼技术都很平庸。于是他经常向人诉说心中的苦恼："我真不明白，我捕鱼的技术这么好，为什么我儿子们的技术这么差？我从他们懂事起就传授捕鱼技术给他们，从最基本的东西教起，告诉他们怎样织网最容易捕捉到鱼，怎样划船最不会惊动鱼，怎样下网最容易请鱼入瓮。他们长大了，我又教他们怎样识潮汐，分辨鱼汛……凡是我辛辛苦苦总结出来的经验，我都毫无保留地传授给了他们，可他们的捕鱼技术竟然比不上技术比我差的渔民的儿子！"

一位路人听了他的诉说后，问："你一直手把手地教他们吗？"

"是的，为了让他们得到一流的捕鱼技术，我教得很仔细、很耐心。"

"他们一直跟随着你吗？"

"是的，为了让他们少走弯路，我一直让他们跟着我学。"

路人说："这样说来，你的错误就很明显了。你只传授给了他们技术，却没传授给他们教训，对于才能来说，没有教训与没有经验一样，都不能使人成大器。”

如果忽视经验的作用，一味我行我素，往往会得不偿失。然而总是有些人目空一切，不记先辈教训，这样的人容易在纷繁的世界中迷失，最终落入“前车倾覆，后车复然”的境地。通过实践活动，尤其是通过长时间的实践活动所积累的经验，有一定启发指导意义，值得重视和借鉴，它有助于人们在后来的实践活动中更好地认识事物、处理问题。不过，需要注意的是，就像“渔王”的儿子们学不来高超的捕鱼技术一样，我们学习前人的经验，必须学会鉴别和运用，否则学习经验只会变成盲从。

【原典】先揆后度，所以应卒。

注曰：“执一尺之度，而天下之长短尽在是矣。仓卒事物之来，而应之无穷者，揆度有数也。”

【译文】

事先揣测、度量，做到心中有数，便可以审时度势，随机应变，处理突发事件。

【释评】

张商英对《素书》“先揆后度，所以应卒”的解读是：“执一尺之度，而天下之长短尽在是矣。”可见，对事情有预先的谋划与远见，对于行事有着重要意义。古人云：“谋深，虑远，成之因也。”做人做事，只有深刻认识到谋与虑在成功中的重要地位和作用，谋得深，虑得远，才能拥有成功的人生。

战争开始之前，需要仔细地谋划。所有的事情开始之前，都需要有全局的观念与考虑，正所谓“运筹帷幄之中，决胜千里之外”。只有见识高超、深谋远虑的人，不被眼前的事物迷惑，才能站在更高的高度看问题，才能敏锐地察觉到生活中细微的祸机，预先计划好对策，以免祸患降临己身。

宋真宗时，后宫李妃生下一个儿子，就是后来的宋仁宗。当时正得宠的刘皇后无子，宋真宗便命刘皇后认其为子。孩子长大后，以为自己是皇后亲生的。宫中人畏于皇后威严，也没人敢对他说明真情，仁宗对刘皇后也极为孝顺。

宋真宗去世，仁宗即位，刘太后垂帘听政，大家更没人敢对仁宗讲明，李妃身处后宫，为免祸乱，也是守口如瓶。

后来李妃去世，刘太后想把葬礼办得简单些，以免引起别人的疑心。宰相吕夷简却极力反对，在帘前争执说："李妃应该厚葬。"

当时仁宗正在太后身边，刘太后吓了一跳。她忙令人把仁宗领出去，然后厉声问吕夷简："李妃不过是先帝的普通嫔妃，为何要厚葬？况且这是宫里的事务，你身为宰相，多什么嘴？"

吕夷简平淡地说："臣身为宰相，所有的事都该管。如果太后为刘氏宗族着想，李妃就应厚葬；如果您不为刘氏着想，臣就无话可说了。"刘太后沉思许久，明白了吕夷简的用心，下旨厚葬了李妃。

吕夷简出宫后，找到总管罗崇勋，告诉他："李妃一定要用太后的礼仪厚葬，丝毫不能有缺。棺木一定要用水银实棺，可别说我没告诉过你。"罗崇勋见宰相少有的庄重与严厉，对于葬礼用物丝毫不敢轻视。

刘太后死后，宗室赵元俨便告诉仁宗："陛下不是太后所生，而是李妃所生，可怜李妃怕是死于非命。"仁宗大惊，忙传讯老宫人。刘太后已死，再无人敢隐瞒此事，宫人便如实禀告。

仁宗知道后，痛不欲生。他在宫中痛哭多日，也不上朝，想到亲生母亲朝夕在左右，自己却不知道，母亲在世之时，自己从未孝养过一日，他越思越痛，下诏宣布自己为子不孝的大罪，改封母亲为皇太后，并准备为母亲以太后之礼改葬，待改葬后再查实、清算刘太后一族的罪过。

然而，宫闱秘事本来就是无法查实，也无法说明。刘氏宗族的人知道后惶惶不可终日，无法申辩，只能坐待灭族大祸。大臣们见皇上已激愤到极点，也没人敢为刘太后一族说上一句话。

改葬李妃时，仁宗抚棺痛哭，却见李妃因有水银保护，面目如生，肌体完好，所用的葬器都严格遵照太后的礼仪，哀痛也减少许多。改葬完后，仁宗非但没有追究刘氏一族的罪过，反而待之更为优厚。

试想如果仁宗打开母亲的棺木，见到陪葬的器物十分简朴，痛上加痛，刘氏家族定无一丝生机。在处理仁宗生母葬礼的这件事情上，吕夷简显示出常人难以企及的深谋远虑。其实，无论是在生活中还是在工作中，只有把自己的眼光放得长远一点，才能获得长远的利益。成功属于那些有远见的人，想要有所成就，必须学会思考，从长远考虑，才会获得更大的成就和更长远的利益。

【原典】设变致权，所以解结。

注曰："有正有变，有权有经。方其正有所不能行，则变而归之于正也；方其经有所不能用，则权而归之于经也。"

【译文】

设想各种变化情况，加以权衡谋划，这样就可以灵活解决各种复杂矛盾。

【释评】

孙膑和庞涓都是战国时期的军事家，他们师出同门，却势同水火。二人分别就职于两个国家，经常在战场上交手，也因此创造了中国历史上的战争传奇。“围魏救赵”便是其中的一个。

在解决魏国对赵国的围困时，孙膑并没有让田忌直接与魏国交战，而是让田忌率领军队向魏国的国都大梁挺进，占据它的交通要道，冲击魏都军备空虚的地方。魏国国都被围困，魏军为求自保，自然便从赵国撤兵了。

孙膑突破常人思维，不拘泥于正面交锋的作战方式，从对手的“后方”入手，从而实现了对同盟国的救助。很多时候，只要主动地打破常规，自行开辟一片天地，难题就会迎刃而解。

从哲学的角度来讲，唯一不变的东西是变化本身。生活在一个瞬息万变的世界里，应当学会适应变化。学会变通地去应对工作中的困难，定能做到无往不利。如何在这种变幻中安身立命呢？黄石公答曰：“设变致权，所以解结。”即变通能够解决很多困难之事。任何事物的发展都不是一条直线的，聪明人能看到直中之曲和曲中之直，并不失时机地通过迂回应变达到既定的目标。

汉景帝庶子、长沙王刘发的母亲原是汉景帝妃子的奴婢。因为其母亲地位低下，刘发得不到景帝宠爱，所以他所到的封国不仅偏僻狭小，而且土地贫瘠。刘发曾多次上书请封，景帝均不予理会。

公元前142年，宗室藩王齐集长安为景帝祝寿。轮到刘发祝寿时，只见他肥胖的身躯上罩了件小小的绸衫，袖口很窄，两只肥手却缩在袖里。他的拙样惹得众人笑弯了腰。景帝也笑眯了眼，又很奇怪，就喝问道：“刘发！为朕贺寿为何如此不敬？”

刘发叩头回答：“父皇息怒，儿臣非愿如此，只因儿臣封国地陋狭小，实无回旋余地，不得不这样舞蹈啊。”景帝听罢，似有所悟，便下诏书道：“增封长沙王刘发武陵、零陵、桂阳三郡。”

可见，换一种表达方式，效果便会截然不同。这便是“设变致权”的绕圈策略。这种策略讲究的是迂回，特别是在与强劲的对手交锋时，迂回的手段高明、精到与否，往往是能否在较短的时间内由被动转为主动的关键。

【原典】括囊顺会，所以无咎。

注曰：“君子语默以时，出处以道；括囊而不见其美，顺会而不发其机，所以免咎。”

【译文】

谨言慎行，举止顺应大局，这样才能远离纠纷，免遭祸患。

【释评】

曾国藩是晚清最有实力的大臣之一。他一方面靠自己的忠心，消除了朝廷的顾忌；另一方面尽可能地扩大自己的权势，即使朝廷有顾忌，也不敢轻举妄动。为了防止曾国藩离心离德，朝廷在重用曾国藩、胡林翼等人的同时，也安插了湖广总督官文、钦差大臣僧格林沁等满蒙贵族钳制他们。对此，曾国藩心知肚明。为了消除朝廷的疑忌，起义军刚刚被镇压下去，他就下令将大部分湘军裁撤。

同治三年（1864），正当曾国藩分期分批裁撤湘军之际，僧格林沁及其马队被捻军在湖北牵着鼻子走，接连损兵折将。清廷万般无奈，便命令曾国藩率军增援湖北。朝廷的这次调遣，对湘军非常不利，大有卸磨杀驴之势，为此曾国藩不得不避其锋芒，自剪羽翼，以释清廷之忌；而僧格林沁骄横刚愎、不谙韬略，向来轻视湘军。此时，曾国藩正处在十分无奈的两难之中，他只好采取拖延之法。

曾国藩十分清楚，僧格林沁大军在黄淮大地上穷追不舍，失败是注定的，只是早晚的事。因此，曾国藩按兵不动，静坐江宁，观其成败。

果然，高楼寨一战，僧格林沁全军覆没，这位皇亲国戚竟然被一个无名小辈杀死。朝廷不得不再次请出曾国藩，命他督办直隶、河南、山东三省军务，所用三省八旗、绿营地方文武员弁均归其节制。两江总督由江苏巡抚李鸿章署理，为曾国藩指挥的湘军、淮军筹办粮饷。这本是曾国藩预料中的事，当接到再次让他披挂出征，以解清廷倒悬之急的命令时，他却十分惆怅。在这瞬息万变的政治生涯中，他很难预料此行的吉凶祸福。因此，他还是采用拖延之法。

当曾国藩接到"赴山东剿捻"的旨令时，他明白清廷的着眼点是解救燃眉之急，确保京津安全。这是清廷的一厢情愿，而此时曾国藩所面临的出征困难却很大。湘军经过裁减后，曾国藩北上剿捻就不得不仰仗淮军。曾国藩心里也清楚，淮军出自李鸿章门下，要像指挥湘军一样，随心所欲地指挥淮军，是很难的。另外，在匆忙之间难以将大队人马集结起来，而且军饷也不能迅速筹集。

曾国藩做事向来是未雨绸缪，对于清廷只顾解燃眉之急的做法，实在难以从命。况且，一个时期里，朝廷处处防范他，他若继续带兵出征，不知还会惹出多少麻烦。因此，他向朝廷推辞缓行。

尽管他向清廷一一陈述了不能迅速起程的原因，但他又无法无视捻军步步北进，正在其左右为难之际，李鸿章派潘鼎新率鼎军十营包括开花炮一营从海上开赴天津，然后转道赴景州、德州，堵住捻军北上之路，以护卫京师，给曾国藩的准备和出征创造了条件。这样，经过二十几天的拖延后，曾国藩于六月十八日登舟启行，北上剿捻。

正是通过拖延的办法，曾国藩赢得了应付事态的时机，也避免了与上司的直接冲突，能够在骑虎难下，进退维谷之际，促使或者等待事态朝有利于自己的方向发展，于万难之间做到了游刃有余。

面对现实中左右为难之境，要学会灵活处之，可拖延的就拖延，能躲避的就躲避，需求助的就求助，该投靠的就投靠。但隐蔽不是消极地避凶就吉，而是要懂得变通，暂时收敛锋芒，待机而动。“括囊顺会”也很适用于人际关系的处理。如果自己的主张与别人有分歧，要避免与别人发生正面冲突，兼顾灵活性和原则性，既办好了自己的事，又处理好了与别人的关系。

【原典】橛橛梗梗，所以立功。孜孜淑淑，所以保终。

注曰：“橛橛者，有所恃而不可摇；梗梗者，有所立而不可挠。孜孜者，勤之又勤；淑淑者，善之又善。立功莫如有守，保终莫如无过也。”

【译文】

坚定不移、刚正不阿，才能建立功勋。勤勉不怠、温雅善良，方能善始善终。

【释评】

《素书》中的这四句话可以总结为四个字，“持之以恒”。清代郑板桥有诗云：“咬定青山不放松，立根原在破岩中。千磨万击还坚劲，任尔东西南北风。”天道酬勤，只有咬定青山不放松，才会有所收获。冰冻三尺，非一日之寒。

天道酬勤。凡事只要坚持到底、始终如一，没有解决不了的困难，只要你兢兢业业、坚持不懈，成功的道路上便会有你的身影。

"橛橛梗梗"是成功应有的韧性，"孜孜淑淑"同样是达到目标所必须坚守的原则。许多人在做事时，开始比较谨慎，过不了多久，就松懈下来了；有的人对大事、难事比较谨慎，对小事、容易事就疏忽。

有俗语说："行百里者半九十。"就是指事物进展到尾声时切勿疏忽大意，以防前功尽弃。战国时，秦国国富民强，气势最盛。秦武王以为从此可高枕无忧，便以骄色示人。一谋士见势不妙，便进言提醒武王道："诗曰'行百里者半九十'，指的是把持到最后关头最为困难。今天的霸业是否能成，还得看各方诸侯是否出力，然而大王现在就沾沾自喜，以骄色示人，而忽视图霸的准备，若让他国知道了，受诸侯攻击的恐怕非楚而秦了。"但秦武王没有听进谋士的劝告。因此，他的霸业只维持了短短四年。

在施政方面，真正做到善始善终、居安思危的，要数唐太宗李世民。太宗常对左右说："治国之心犹如治病。病人希望尽快痊愈，求医心切。如果病人能认真听从医生的嘱咐，配合治疗，病就痊愈得快，反之，恐怕就会使病情恶化，甚至丧命。治国也是同理，要想保持天下安定，就得事事谨慎，若在关键时候有疏忽，必招亡国之祸。现在天下的安危全置于我一人肩上，因此，我要慎重地警惕自己。即使歌功颂德，我还需检点自己的言行，加紧努力。"唐太宗这番话，正是对"孜孜淑淑，所以保终"的最好解释。

著名哲学家冯友兰先生说："我们在一生中，所想做的事不一定都能成功，而尤其是新兴的事业，那更没有把握了……所以我们无论做什么事，遇到失败，千万不要灰心，仍然要继续做下去。”他也正是秉持着这份坚持，才收获了在哲学领域的成功。

其实，他曾经历的也和绝大多数的人一样：做一个开始的决定，总是很容易。但当事情逐渐地发展下去时，人们会发现越来越多的问题出现了：没有时间、外界干扰、条件不允许……分歧也在此产生。很多人开始动摇，开始心存疑惑：我真的能做完这件事吗？接着，开始气馁、灰心丧气，随后便是退缩与放弃，成功就此夭折。冯友兰先生则不同，他和其他获得成功的人一样，面对诸多的阻挠与困难，他仍然坚持不懈地继续做下去。

本德宗道章第四

注曰："言本宗不可以离道德。"

【释评】

修身处世，需要讲求方正，以德立身，这是一个成功者必须确立的内在标准。没有这个内在标准，人生之路就会失去支撑，最终导致失败。保持本色，坚守原则，不忘做人处世之根本，才能立得长久。

【原典】夫志心笃行之术，长莫长于博谋，

注曰："谋之欲博。"

【译文】

一个人想要做到志向坚定，按照自己的意愿行事，必须懂得深思多谋，这是最长久的方法。

【释评】

荀子《劝学》中有这样一句话："登高而招，臂非加长也，而见者远；顺风而呼，声非加疾也，而闻者彰。假舆马者，非利足也，而致千里；假舟楫者，非能水也，而绝江河。君子生非异也，善假于物也。""善假于物"正是本篇提倡的"博谋"，即大量借助其他人的力量。

人不可能样样精通，因此要想达到自己的目的，就需要善用外界的帮助。就好比行军打仗时，靠的不仅是军队的作战能力，还应该借助诸如地形、气候等外部的力量。有利的地形是用兵打仗的辅助条件，能够正确判断敌情，考察地形险恶，计算道路远近，并借助这些形势去指挥作战，必定能够取得胜利。

对战争而言如此，于人处世而言，就是要善于运用身边一切可以利用的资源，帮助自己走上成功之路。有一句名言说："得人之力者无敌于天下也；得人之智者无畏于圣人也。"这一点对于日理万机的领导者而言尤为重要。但是，很多领导者喜欢把大小事务都揽在自己身上，从来不放心把一件事交给下属去做。因此他们看起来似乎整天忙忙碌碌，实则大多在做无用功。

与这样的领导者不同，三国时期著名将领黄盖就懂得借力分权的道理。黄盖曾经做过石城县县令。他到任后，安排了两个属下官员协助自己，这两人分头主管各曹事务。黄盖下令说："我这个当县令的没什么德行，只是凭借武功得到的官职。对于文官的公务我不熟悉，现在外来的敌人还没有平定，军务比较繁忙，这点没有人能替我代劳。而县里的一切公文案卷，全部交给这两个属下官员帮助我处理。他们替我约束管理各曹，纠正和处分有错误的人和事。如果他们中有人做了欺骗不法的事，我一定严惩不贷。"

命令下达之后，下级官吏们都因为畏惧黄盖的威名，各自恭谨地履行自己的职务。时间一久，下级官吏们认为黄盖不管公文案卷，就渐渐懒怠、放肆起来。黄盖知道后，查清了这两个帮他处理政务的下属各自所做的违法之事，然后召集所有官员，就这几件违法事来追究两个下属官员。黄盖说："我早就说过了，如果你们做了不法之事，我一定严惩不贷。"说完以后，竟然把两个人处死了。许多官员吓得两腿发抖，整个县的政治从此变得清明起来。

黄盖虽然是一介武夫，在管人用人问题上却有自己的独到之处。他深知自己最重要的工作是军务，任何人都不可能替代他处理。而那些别人可以做且相对次要的事情，他就放心大胆地交给别人去做。做得好，固然皆大欢喜，也能为自己赢得荣誉和成果；做得不好，就狠狠制裁他们，同时也能树立起自己的威信。

即使是圣人，也不可能样样都懂，这就意味着每个人都有智力所不能达到的地方。因为时间、精力有限，单凭个人之力无法面面俱到，有时光是细枝末节的问题就能把你搞得焦头烂额，疲于奔命。但是，若能做到“博谋”，善于借人之智，即可比圣人高出不止一筹。

【原典】安莫安于忍辱，

注曰：“至道旷夷，何辱之有。”

【译文】

忍辱负重，这是最安全的方式。

【释评】

老子曰：“大直若屈，大智若拙，大辩若讷。”《说苑·谈丛》有言：“能忍耻者安，能忍辱者存。”勾践被夫差打败，困于会稽山上时，自己成为夫差的马夫，妻女沦为侍婢。他忍了下来，卧薪尝胆，励精图治，终于一举灭吴。韩信能忍“胯下之辱”，不与人争强斗狠，才有后来的官拜淮阴侯。这些人在耻辱面前都选择了忍，因为他们当时并没有足够的实力与人相争，他们懂得“小不忍则乱大谋”。

蜀主刘备可算是三国时的一代英豪，在诸葛亮的辅佐之下，三分天下有其一，盘踞西南，蓄势待发，本来有望问鼎天下。但在关羽失荆州被杀之后，他失去了理智，不知忍退一步。他不听赵云、诸葛亮等人的劝阻，不接受东吴的赔礼求和，亲率大军进攻东吴，被东吴年轻将领陆逊火烧连营七百里，蜀军几乎全军覆没，元气大伤。此后虽有诸葛亮等忠臣鞠躬尽瘁，拯救蜀国，但也未能挽救蜀国自此衰弱的命运。

可见，坚韧的忍耐精神是意志坚定的表现，也是处世的谋略。生活中难得事事如意，丢失面子是常有的事，学会忍耐，婉转退却，才可以获得无穷的益处。如果一时意气用事，就可能断送了自己的前程。

孟子也曾向滕文公提出当国力不够强，无法与外敌抗衡时，为了生存下去就要忍。忍受耻辱不是懦弱逃避，不是无为，而是守弱、蓄积、迂回前进。当命运陷入无可掌控之时，就要心平气和地接纳这种弱势，坚强地忍耐弱者的地位，在守弱的基础上累积实力，发奋图强，使自己脱离弱者的不利地位，适时出击，争取赢得新的成功机会。

【原典】先莫先于修德，

注曰："外以成物，内以成己，修德也。"

【译文】

修德养性，这是首要任务。

【释评】

修德是人行走于世的第一前提，它之所以能成为快乐之源，在于其内能成己，外能成物。修德看起来是个很大的命题，许多人认为"德"的境界太高，非圣贤不可达到。事实上，"修德"不是能做不能做的问题，而是肯不肯去做的问题。这就好像要把泰山夹在胳膊底下跳过北海，告诉人说："这个我办不到。"这真是不能。但是，替老年人折取树枝这件事，告诉人说："这个我办不到。"这是不肯做，不是不能做。

南宋诗人杨万里的妻子在古稀之年，每到天寒时，天不亮就早早起来，熟练地生火、烧水、煮粥。满满的一大锅粥要熬上很长时间，杨夫人每次都耐心地等着。清甜的粥香随着热气渐渐充满了厨房，飘到了院子里。院子的另一边，仆人们伴着这熟悉的香气陆陆续续地起床，洗漱完毕后，来到厨房，接过杨夫人盛起的满满一大碗热粥喝了起来。

杨夫人的儿子杨东山看到母亲忙碌的身影，甚是心疼。一次，他劝母亲说：“天气这么冷，您又何苦这么操劳呢？”杨夫人语重心长地说：“他们虽是仆人，但也是各自父母所牵挂的子女。现在天气这么冷，他们还要为家里做活，让他们喝些热粥，心中有些热气，这样干起活来才不会伤身体。”

杨夫人的善意举动人人都可实践。她通过一件小事便实践了“修德”的精神。所以，所谓“大德”皆是由日常生活中的小小善意积累而成。同时，杨夫人能设身处地为别人着想，既教育了儿子，也温暖了仆人们的心。可见如果人人都能实践道德，不但能够提高自身品德修养，而且还可以感化周围的人，使善的力量遍及人间，如此，便是人生一大乐事。而且，德行高尚的人往往拥有极大的人格力量。这种力量能使人心悦诚服，有时甚至能不战而屈人之兵，不战而万国来朝，也是人生另一乐事。

【原典】乐莫乐于好善，神莫神于至诚，

注曰：“无所不通之谓神。人之神与天地参，而不能神于天地者，以其不至诚也。”

【译文】

乐善好施，这是最快乐的态度；至诚至性，这是最神圣的态度。

【释评】

都说“积善之家，必有余庆；积不善之家，必有余殃。”善为德之本，是人们安身立命、建立良好人际关系的关键。自古以来，关于乐善好施得好报的故事，比比皆是。我们这里不着重讲“善”。单讲“神莫神于至诚”的“诚”。

晋人王祥，至孝。母亲患病，王祥衣不解带地尽心照顾。

一日，母亲想吃鱼，但当时是腊月严冬，河上冰封千里，实在没有新鲜的鱼可供母亲食用。于是王祥解开自己的衣衫，用体温将河上的冰融化。传说就在他将要入水抓鱼时，忽然有双鲤跃出。人们认为这是王祥的至诚感动了天地。这便是《素书》所谓的“神莫神于至诚”。

南怀瑾先生也曾经说过这样一句话：“诚能通神，诚能感物。宋、明诸大儒，多终生究此一字。子思著《中庸》更以‘诚’可以与天地参。”南先生此言不假。如三国诸葛亮，为服孟获，对其七擒七纵，最终以至诚打动孟获；又如三国东吴的孙策，他用人时讲究“赤诚待人”，他对太史慈就是一例。

汉献帝建安三年（198），孙策发兵袭击太史慈，太史慈兵败，被孙策俘虏。孙策知道太史慈是贤能之人，因此并未计较三年前双方在神亭一战自己被他打败的耻辱，而是亲自为太史慈解去绳缚，执手慰问，并坦诚地表达自己的求贤心情：“今日幸得君，愿与足下共图大事。久闻卿有烈义，为解孔融之危，冒死求救于刘备，深为敬佩。卿诚为天下志士也。但投靠未得其人，我愿做足下知己，请不要担心在我处不如意。”

孙策以诚相待太史慈，倾吐肺腑之言，然后任命他为帐下都督，在收兵班师时，又让太史慈充当先导。在这样一番感情攻势之后，太史慈终于被孙策的诚心打动，答应在孙策帐下效力。

当时，刺史刘繇病死豫章，所部处于群龙无首的状态。这对孙策来说是一个绝好时机，若能争取到这些人马，那自己的实力将会迅速增强。那么究竟该让谁去完成这项任务呢？由于刘繇生前与太史慈交好，因此孙策决定派太史慈前去。太史慈见孙策如此信任自己，决心不辜负其所托，前去豫章招安，并说：“慈有不赦之罪，将军量同桓、文（指齐桓公、晋文公），当尽死心报德。今并息兵，兵不宜多，将数十人足矣。”

同时约定两月之内一定回来，之后整理行装，打点人马而去。

常人都料定太史慈此去肯定不会回来，而孙策力排众议，坚持自己的决定。他首先明白太史慈的为人，认定他是“义虽气勇有胆烈，然非纵横之人”，是内心“秉道义，重言诺”之人；其次，他知道以自己的情感攻势作用于这样的人，必能以诚换诚，得到太史慈的忠心。

果然不出孙策所料，太史慈按期返回，不辱使命，安抚了刘繇的部下，充实了孙策的实力。孙策也因此更加重用太史慈，视其为自己的左膀右臂，与之共谋大业。

孙策的行动正应了《中庸》所说的“唯天下至诚为能化”。以诚育物，则万物兴盛；以之取人，则人人尽其精诚，倾其智力来辅佐。与别人交往时以心换心，才有可能打动人。曾有人感慨，胡雪岩的成功跟他手下那一群心甘情愿为他卖命的人分不开。他们之所以能为胡雪岩卖命，是因为胡雪岩平时以真心相待，设身处地为他们着想，由此建立起深厚的感情。用人如此，交友亦然。能够称之为朋友的人，不是凭名利相交，而在于“情”与“义”二字。有时，属于不同的社会阶层的两人，或处于对立阵营中的两个人能成为好朋友，正是因“情义”。情深义重，诚恳相待，彼此间自然能互相照应。

【原典】明莫明于体物，

注曰：“《记》云：‘清明在躬，志气如神。’如是，则万物之来，其能逃吾之照乎！”

【译文】

了解事物本质，这是最明智的做法。

【释评】

商纣的宰相箕子，很早以前便知道商要亡在纣王手中。他之所以推出这个结论，是因他见纣王用了一双象牙筷子。纣王制作象牙筷子也不过是一时心血来潮，但是在箕子看来，纣王既然开始使用象牙筷，那么他在其他餐具上就不会再满足于陶制器皿。他定然会配合着他的象牙筷，用上犀牛角杯或玉杯。有了如此精致华贵的餐具，那纣王在吃的食物上也必然会渐渐追求精美。箕子推算，到时候纣王一定想要吃牦牛、大象、豹子；食物上得到满足后，他就会进而在穿着上有更高的要求，到时候他一定不会再穿粗布短衣，而想要多层的织锦衣服；更进一步，他会不满足于现在居住的宫殿，而要求更加华丽的高台大室。长此以往，普天之下，就再也不会有能够令纣王感到满足的东西。那时，商亡便也不远了。

可能有的人会认为，箕子通过一双象牙筷来推断商朝必亡未免有些武断，其实不然。每个人的举手投足都是其心态和性格的反映，因此，通过人的一举一动可以看出其心意企图。箕子正是通过纣王用象牙筷的细节，推出他的心意与行动模式。历史经验也证明了箕子的推论。他对世事的体察着实令人佩服。

《素书》言："明莫明于体物。"箕子正是体物清明，因此能辨世间成败兴亡。"体物"是见微知著。若能够通过细微现象推导事情的发展，预见到事情结果，就能先人一步洞察世事。

沈括在《梦溪笔谈》中曾记载这样一个故事：大文学家欧阳修得到一幅古画，画的是一丛牡丹，在牡丹花下还卧着一只猫，十分逼真。欧阳修看后不理解画中之意，就去问当朝宰相吴正肃。吴正肃一看到画就说："这是'正午牡丹'。"

欧阳修奇怪地问道："何以见得是'正午牡丹'呢？"吴正肃回答说："画上牡丹花的花瓣分披、色泽浓艳而干燥，正是中午牡丹花的样子；花下猫的眼睛眯成一条缝，正是中午猫眼的形象；如果是清晨的牡丹，花瓣应是收缩而湿润的，猫的眼睛应该是圆的。”欧阳修恍然大悟。

见微知著并非天生的本领。它要求人们在丰富的生活经验基础上，留心观察身边的事物。或许我们现在的观察力还不能达到吴正肃的境界，但是通过系统的训练，便能让观察力得到提高。

经过一段时间的培养，对身边发生的事多加留意，便可以提前预料到事情的发展方向。正如宋代理学家朱熹所说：“‘体’谓设以身处其地而察其心也。”努力训练自己的观察力，才能把握住事物的本质。

【原典】吉莫吉于知足，

注曰：“知足之吉，吉之又吉。”

【译文】

知足常乐，这是最吉祥的观念。

【释评】

柏杨先生曾说：“一个人的欲望如果只是追求金钱或权势，他便永不能获得满足，而不满足便不能快乐……物质的快乐，不等于心灵的幸福，物质的不快乐，同样也不等于心灵的不幸福。”幸福与物质无关，它是一种心态，一种满足感。在世俗的生活中，柏老无疑是个幸福的人。

据张香华女士回忆，她初识柏老之时，柏老住在一个改装过的汽车间里，“写字间与客厅合并”，“一间小卧室，用一排高大的书架充当墙壁”，“一切的琐事都要亲自处理”。柏老就是在这样的环境中进行写作，生活得很惬意，如果没有一颗知足常乐的心，是无法达到这种境界的。幸福其实就是这么简单：别勉强自己去做别人，知足常乐。也许，这就是“吉莫吉于知足”的含义。

知足者有吉庆之福，《道德经》中也说“祸莫大于不知足”。财富也好，情感也罢，或是其他方面的欲望，都应把握有度，适可而止。不满足，就会感到欠缺，高兴不起来。

对个人而言，知足可令内心平衡，贪求自己无法拥有的东西则会令人忽视身边已有的宝贵事物，这便是人生的悲剧。事实上，如果能换一种思维来看待“有”与“无”，便会发现其实生活已然给了人们许多馈赠。如果计算已拥有的，人人都是富人。

对整个社会而言，如果每个人都心存满足，社会便安定有序。相反，若是大家都贪得无厌，总是贪求别人所拥有的，社会就会开始动乱不安。孟子“养心莫善于寡欲；其为人也寡欲，虽有不存焉者，寡矣；其为人也多欲，虽有存焉者，寡矣”说的便是这个道理。

【原典】苦莫苦于多愿，

注曰：“圣人之道，泊然无欲。其于物也，来则应之，去则无系，未尝有愿也。古之多愿者，莫如秦皇、汉武。国则愿富，兵则愿强，功则愿高，名则愿贵，宫室则愿华丽，姬嫔则愿美艳，四夷则愿服，神仙则愿致。然而，国愈贫，兵愈弱，功愈卑，名愈钝，卒至于所求不获而遗恨狼狈者，多愿之所苦也。夫治国者，固不可多愿。至于贤人养身之方，所守其可以不约乎！”

【译文】

人世间最痛苦的事，莫过于欲壑难填。

【释评】

古人一直强调要清心寡欲，抛却执妄。庄子说：“道与之貌，天与之形，无以好恶内伤其身。”意思是生命活着要顺其自然，要不增不减，抛却心中的妄情、妄念、妄想，保持一片清明境界，才是上天给我们的道。这个道就是本性，人活得很自然，一天到晚头脑清清楚楚，不要加上后天的人情世故。如果加上后天意识上的人情世故，就会有喜怒哀乐，使得身体内部受伤害，就会有病不得长寿。黄石公说："苦莫苦于多愿。"这正如王氏在解读时所说："心所贪爱，不得其物，意在所谋，不遂其愿，二件不能称意，自苦于心。"

扬州有个商人，一天他和几个同伴乘船返回家乡。哪知小船到河中间的时候，突然破了，水一个劲儿地涌进船里。眼看船就要沉了，于是大家干脆全都跳下船去，准备游到对岸去。但这个扬州人，虽然拼命地向前游，却游得很慢。

同伴问他："你游泳技术比我们都好，今天怎么啦，竟然落在我们后面？"这个人十分吃力地说道："我腰上缠着银钱，很沉，我游不远。""赶快把它解下来，丢掉算了。"同伴们都劝他。可是他摇着头，舍不得扔掉这些财物，渐渐地，他越游越慢，几乎要筋疲力尽了。

这时，同伴们都已经游到对岸，看见这人马上就要沉下去了，于是就冲他大喊："快把钱扔了！你为什么这样愚蠢，连性命都保不住了，还要这些钱有什么用？"可是这个人终究还是舍不得这些钱。不一会儿，他就沉下去淹死了。

一个带着过多包袱上路的人注定不会走得快，只有卸下身上的包袱才可能走得快，我们总是让生命承载太多的负荷，这个舍不得丢掉，那个舍不得丢掉，最终被压弯腰的是我们自己。

人的欲望就像个无底洞，任万千金银也难以填满。欲望需要用"度"来控制。人有适当的欲望是一件好事，因为欲望是追求目标与前进的动力，但如果给自己的内心填充过多的欲望，就只会加重前行的负担。人的贪念越多，附加在心上的负担也就越重，可明知如此，许多人仍然根除不了人性劣根的限制。对于真正享受生活的人来说，任何不需要的东西都是多余的。适当放下是一种洒脱，是参透人性后的一种平和。背负太多欲望，总是为金钱、名利奔波劳碌，整天忧心忡忡，又怎么能快乐呢？只有放下那些过于沉重的东西，才能得到心灵的放松。

【原典】悲莫悲于精散，

注曰："道之所生之谓一，纯一之谓精，精之所发之谓神。其潜于无也，则无生无死，无先无后，无阴无阳，无动无静。其舍于神也，则为明、为哲、为智、为识。血气之品，无不禀受。正用之，则聚而不散；邪用之，则散而不聚。目淫于色，则精散于色矣；耳淫于声，则精散于声矣；口淫于味，则精散于味矣；鼻淫于臭，则精散于臭矣。散之不已，岂能久乎？"

【译文】

人世间最悲哀的事，莫过于精神离散。

【释评】

"五色令人目盲，五音令人耳聋，五味令人口爽。驰骋畋猎，令人心发狂。难得之货，令人行妨。是以圣人为腹不为目，故去彼取此。"这是老子《道德经》中的一段话，它的意思是说：五光十色的花花世界使人眼花缭乱；嘈杂的急管繁弦使人震耳欲聋；山珍海味，美酒佳肴，使人口不辨味；射雕逐鹿，骑马打猎，使人精神疯狂；金银珠宝，钻石玛瑙，使人犯法背德。这种主张和"耳目见闻为外贼，情欲意识为内贼"有异曲同工之妙。

使人视觉迟钝、听觉不灵、味觉丧失，终致心神不宁、放荡不安、德行败坏的繁华纷扰都是侵扰心灵的外贼，这样的感官享受往往让贪图的人得不偿失。

"惺惺不昧，独坐中堂，贼便化为家人矣"是排除外物干扰的高境界。这句话的意思是学会坦荡做人，使自己真正无求一身轻，人的智慧便清明起来，人生也就拥有了无限的可能。

人活着总会有生存、发展和享受三种需要，人与人的人生再怎么不一样也不过是由这三种需求调和而成。但是随着调和比例的不同，人就会呈现不同的境界。富贵的人生是享受需要占主要成分的生活，平淡的人生是三者比例相近的生活，困窘的生活是只有第一种需求却仍得不到满足的生活……而其中最高的境界就是维持基本的生存需要，降低享受性需求，从而最大限度地提升发展性需求。

首先，我们应该知道正常的欲望人人都有，少私寡欲并不是“存天理、灭人欲”，而是反对放纵欲望。少私寡欲，就是说，人活得洒脱就要将感官的需要保持在能基本维生的水平，切不可耽乐于感官的享乐、忘记取舍。因为我们坦然无求，当然也不会让他人有利可图，生活自然能轻松悠然，从而把自己从痛苦的深渊中解脱出来。

【原典】病莫病于无常，

注曰：“天地所以能长久者，以其有常也。人而无常，不其病乎？”

【译文】

人世间最恶劣的病，莫过于内心不平静，反复无常。

【释评】

人生最好的境界是安静，但是安静不是为了享受，而是为了收获人生的丰富。只有丰富的安静才是真正的安静。一个人内心安静，是因为摆脱了外界虚名浮利的诱惑。安静的人能收获丰富，是因为拥有了内在精神世界的宝藏。太热闹的生活始终有一个危险，就是被喧杂所占有，渐渐让人误以为喧杂就是生活，喧杂之外别无生活，最后只剩下喧杂，没有了生活。

不管世界多么热闹，被热闹包裹的是我们心里的安静，人们往往认为世界的纷繁复杂是外在的存在，却不知道那只是人心里的映射，正是我们心里在喧闹，这个世界才在我们的眼睛看来是一个喧闹到无法忍受的世界。我们捧着一本书，如果心不静，再好的书也读不进去，更不用说领会其中妙处了。读生活这本书也是如此。其实，只有安静下来，人的心灵和感官才是真正开放的，才会变得敏锐，与世界的万事万物处在一种最佳关系之中。

一位皇帝提供了一份非常优厚的奖金，希望有人能画出最平静的画，以便自己在心情烦躁时拿来缓解情绪。许多画家都来尝试。皇帝看完所有的画，只有两幅他最喜欢。

一幅画是一个平静的湖，湖面如镜，倒映出周围的群山，上面点缀着如絮的白云。大凡看到此画的人都同意这是描绘平静的最佳图画。

另一幅画也有山，但都是崎岖和光秃的山，上面是愤怒的天空，下着大雨，雷电交加。山边翻腾着一道涌起泡沫的瀑布，看来一点都不平静。当皇帝靠近一看时，他看见瀑布后面有一个小树丛，其中有一雌鸟筑成的巢。在那里，在怒奔的水流中间，母鸟平静地坐在它的巢里。

皇帝选择了后者，奖金给了画这幅画的画家。

"平静"作为一个形容词，如果从正面去理解，只会让画面缺乏新意，反着去画又会偏离"平静"的主题，只有对比中的"平静"不仅切题，而且鲜明。平静并不等于完全没有困难和辛劳，而是在那一切的纷乱中间，心中仍然宁静。"静躁稍分，昏明顿异"这一句话的言下之意也就在此处。

真正的生活从来不是一汪平静的湖水，太过静寂的生活反而让人觉得乏味。如何在纷扰中保持镇定和清醒，如何在平淡的生活中心灵宁静，是需要用心权衡的两个方面。

在喧嚷的环境中，专注于我们所从事的事，不要被趋之若鹜的大流俘虏，比如坚持梦想，比如闹市读书，比如淡泊名利……在平凡的生活中，感触生活中细微的奔腾，不要无所事事、碌碌无为，更不要对生活麻木。让平凡不死寂的方法很多，比如和家人享受一日三餐，享受朋友间的温情，享受不为名利纠缠的安心……

如此一来，我们就在实际生活中落实了"静躁稍分，昏明顿异"这个哲理。当一个人心境不平时，喧嚷的环境就像麦芒一样刺痒我们的生活，而当一个人心境安定时，哪怕他周围的环境已经风起云涌或者平淡如水，他也会坚持自己的生活和本性，发掘每天的美好。

【原典】短莫短于苟得，幽莫幽于贪鄙，

注曰："以不义得之，必以不义失之，未有苟得而能长也。以身殉物，暗莫甚焉。"

【译文】

人世间最无耻的，莫过于不劳而获；最让人鄙视的，莫过于贪鄙。

【释评】

公仪休是春秋时期鲁国的国相。他在任职期内遵守法律，按章行事，深得百姓爱戴。他没有其他特别的嗜好，唯独爱鱼。他赏鱼、食鱼、钓鱼、爱鱼成癖。身为一国之相，不免有人投其所好，以各种理由送鱼来，但都被公仪休婉言拒绝了。

公仪休身边的人很是纳闷，忍不住问："大人素来喜爱鱼，连做梦都为鱼担心，可为何别人送鱼大人却一概不收呢？"

公仪休一笑，道："正因为喜欢鱼，所以更不能接受别人的馈赠。我现在身居宰相之位，拿了人家的东西就会受人牵制，万一因此触犯刑律，必将难逃丢官之厄运，甚至会有性命之忧。我喜欢鱼现在还有钱去买，若因此失去官位，纵是爱鱼如命怕也不会有人送鱼，也更不会有钱去买。所以，虽然我拒绝了，却没有免官丢命之虞，又可以随性购买我喜欢的鱼。这不比那样更好吗？"

公仪休讲的道理再简单不过：受贿是一时之利，但从长远来看必然丢官受惩。因此，接受贿赂的一时之利实在是件不合算的买卖。所以《素书》才说："短莫短于苟得。"人若没有长远眼光，贪图眼前小利，则会因小失大。道理虽然简单，但利益当前之时，人的心性难免被蒙蔽，所以，历史上贪污之事层出不穷。其中最具代表性的人物当属清朝乾隆年间的大臣和珅。

当年，曾有一位叫汪如龙的官员，送给和珅几十万银两，想谋个肥缺。和珅马上让汪如龙当上了两淮监政。而这个职位，之前一直由一名叫征瑞的官员担任。

征瑞每年都向和珅进献银两十万，如今看着汪如龙霸占了自己的官职，他心中有些不悦，跑去询问和珅："大人，我每年也向国家贡献白银十万，贡献如此之多，怎么就把我给换了呢？"和珅拉着征瑞的手，笑眯眯地对他说："别人的贡献更大嘛。"和珅如此赤裸裸的回答，让征瑞哑口无言。

有位山西巡抚派下属携银二十万两，专程赴京给和珅送礼。可是连去了几次，也没人接待。后来，下属专门拿出五千两白银送给接待的人，这才出来一个身穿华服的少年仆人，一开口就问："是黄（金）的，还是白（银）的？"来人告知是白的，少年仆人便吩咐手下将银子收入外库，给来人一张写好的纸柬，说："拿这个回去为证，就说东西已收了。"送去二十万两银子，连和珅的面也没见上，可见和珅的胃口有多大！

和珅把持朝政二十余年，金钱交易的事俯拾皆是。和珅为官，弄权耍奸，朝野骂声不绝。故而当他的靠山乾隆帝死后不久，他就被新皇帝嘉庆以二十条罪状赐死。一代贪官终于不得善终。

"幽莫幽于贪鄙"。贪婪是最受人鄙视的人性弱点。它让人心晦暗，品德变得鄙陋。贪婪之人无一不是被物欲所奴役，因身外物而迷失了灵魂。人生的辩证法是无情的，有得必有失，想得到更多，也会失去更多。过于贪心的人不仅享受不到“一口井”给自己带来的幸福，弄不好还会把自己的生命也搭进去。爱财之心人皆有之，但求富贵、去贫贱都应以义为准绳，以义导利，以义去恶，否则将适得其反。取之正道的财，来得心安理得，来得理所当然，对自己、对他人都没有坏处，用起来自然身心舒坦。

【原典】孤莫孤于自恃，

注曰：“桀纣自恃其才，智伯自恃其强，项羽自恃其勇，高莽自恃其智，元载、卢杞，自恃其狡。自恃，则气骄于外而善不入耳，不闻善则孤而无助，及其败，天下争从而亡之。”

【译文】

最孤独的念头莫过于自恃太高。

【释评】

“孤莫孤于自恃”的意思再明白不过：恃才傲物的人往往会被孤立。有人评价恃才傲物者时说道：“自恃，则气骄于外而善不入耳；不闻善则孤而无助。”骄傲自大的人无意中会在自己与外界之间筑起一道无形的墙，形成与外界的隔膜，并因此变得目中无人，最终脱离群体。人是社会性动物，如果个人与群体过分脱离，会引发许多问题。晋代“竹林七贤”之一的嵇康便是这一方面的极端例子。虽说嵇康以其卓然不群、傲骨铮铮为世人称道，但也因孤恃得罪了钟会，最终走向悲剧。

钟会是魏国大臣钟繇的儿子，司马集团的重要人物。有一天，他带众宾客乘骏马特地去拜访嵇康。巧的是精于锻铁的嵇康这天正在宅内的大柳树下挥臂扬锤干得正欢，盛夏酷暑，汗流浃背，却神情怡然。同为“竹林七贤”之一的向秀在一旁鼓风。钟会一行人浩荡而来，嵇康非但不辍工相迎，连他们到后站立在自己身边时也毫不理会，视若无睹，仍兀自敲打不止。

钟会久闻嵇康的怪异言行，又是专程前来讨教，也不以为忤，与众宾客垂手默立一旁，静静等候。谁知一等就是一个时辰，而嵇康仍挥锤如初，丝毫无停歇之意。钟会心想，能让我这么耐心等一个时辰的，世上恐怕别无二人了，嵇康你也太张狂了。钟会心下怏怏不乐，正欲打道回府，不料一直不曾言语的嵇康在这时竟开口说道："何所闻而来？何所见而去？"这话不说倒也罢了，钟会一听恨从心底起：此人冷漠相待便罢了，竟还敢出言讥讽揶揄我！钟会强压怒火，硬邦邦扔下了句："有所闻而来，有所见而去。"嵇康过后并未将此事放在心上，而钟会却一直耿耿于怀，终于寻得机会报复，将嵇康杀害。

通常，资质平庸的人考虑的东西少，矛盾冲突也就少；而才气较高的人，虽然聪明些，但是私欲也比其他人多。他总是渴望做一些旁人做不到的事，因此他和别人的冲突也多。有的恃才傲物者是出于性格清高，有的则是故意与人"叫板"，但不管是属于哪一类，孤恃都不是明智的处世态度，只会令人陷入困难的境地。

【原典】危莫危于任疑，

注曰："汉疑韩信而任之，而信几叛；唐疑李怀光而任之，而怀光遂逆。"

【译文】

最危险的行为是任用自己不信任的人。

【释评】

"水能载舟，亦能覆舟"是一代明君唐太宗李世民最常引用的言论之一。他的另一句名言或许知道的人就不多了，那就是："为人君者，驱驾英才，推心待士。"这句话的意思是说，身为一国之君，如果想要自如"驱驾英才"，就必须对人才推心置腹，不能对他们怀有戒备之心。

古语有云："疑则勿任，任则勿疑。"可见"疑"是用人的一大雷区。为什么？黄石公在两千多年前就给出了答案："危莫危于任疑。"用人者疑被用者，对他办事不放心、不放手，就不能充分发挥被用者的作用。历史上无数事实证明，在"知人"的基础上做到疑人不用、用人不疑，方能成就大事。

唐太宗鉴于前朝隋文帝用人多疑的弊病，深感"傥君臣相疑，不能备尽肝膈，实为国之大害也"，遂采取对人才"洞然不疑"的做法。由于他对人才推诚以任，不少突厥降将愿意肝脑涂地为其所用。契苾何力就是一个典型的例子。

契苾何力原是突厥一个可汗的孙子，贞观六年（632），他同母亲一同归顺唐朝，唐太宗把他安置在甘、凉二州一带。后来，契苾何力同大将李大亮等攻打吐谷浑，立了赫赫功勋。薛万均歪曲事实告契苾何力意欲谋反，契苾何力回朝后马上向唐太宗说明了真实情况，唐太宗一如既往地信任他，还把临洮公主许配给了他。

有一年，契苾何力到凉州探亲时，他的部下一致劝他归降薛延陀，遭到了他的坚决反对。在部下的胁迫下，他割耳自誓，坚贞不屈，外界误传他已经叛唐，但唐太宗自始至终都对他非常信任。从此以后，契苾何力对唐王朝越发忠诚，唐太宗弥留之际，他还请求杀身殉葬，唐太宗坚决不许，他才作罢。

集生杀大权于一身的唐太宗，深知如果为君者昏庸，随便施疑，就容易被花言巧语、阿谀奉承之徒迷惑，会使忠臣含冤受害。国家一旦失去这些人才，也就无法长治久安。所以，唐太宗推心待士、用人不疑，为国家收揽了大批贤能之才。这种用人之道应该被现代领导者重视。

【原典】败莫败于多私。

注曰："赏不以功，罚不以罪；喜佞恶直，党亲远疏；小则结匹夫之怨，大则激天下之怒，此多私之所败也。"

【译文】

人世间很多事情失败的根源就是自私自利。

【释评】

一只青蛙想离开沼泽地，到一个新的地方去生活。经过一番认真考察之后，它真的把家搬到了后山上的一个小洼地里。那里长满了茂密的灌木，很阴凉，蚊子等小昆虫也很多，青蛙在这里衣食无忧，生活得很舒服。然而好景不长，夏天到了，火辣辣的太阳炙烤着大地，青蛙新居周围的环境也变得干燥无比，许多灌木忍耐不了持续的高温和干旱，都慢慢枯死了，地上甚至已经干出裂缝来。青蛙忍受不了这样的环境，就在它的新居里祈求老天爷："老天爷啊，求你别再让我这个可怜的动物受罪了，求你下一场大暴雨，把大地和这个山头都淹没，让我的新房子也永远湿润。"

然而，天空依然晴朗，太阳甚至更加毒烈地炙烤着大地。青蛙一遍又一遍地祈求，却没落下一滴雨，最后，青蛙愤怒了，它破口大骂起来："你这个狗屁老天爷，你死了吗？你听不到我的祈求吗？你的眼瞎了吗？你的耳朵聋了吗？你真是枉为老天，没有一点同情心，不明白一点事理，你看不见我都快被折磨死了吗？"上天听见了青蛙的话，并没有动怒，他只是严厉地批评了青蛙一顿，说："你这只自私自利的青蛙，你怎么能因为你自己的需求，要求我把其他地方的人们都下暴雨淹死呢？你不要再在这里吵吵嚷嚷的，如果受不了，你最好还是回你的沼泽地去！"

青蛙为了自己舒服而全然不顾别人的死活，是个彻头彻尾的自私自利者。自私的人总把自己的利益推到至高无上的地位，为了维护自己的利益，达到自己的目的，甚至会不择手段，从而也暴露了自己的丑恶嘴脸。

内心充满欲望的人，即使在寒冷的深潭中也会烧起沸腾的波浪；内心没有私欲的人，即使在酷热的暑天也会感到浑身凉爽。“心静自然凉”说的也是这个道理，所以，人们在生活中不要太放纵自己的欲望，应该适时给欲望降降温，这样身心自然也就凉爽了。

谁都会有私心，这是人天性中的缺陷，但这种缺陷并不是无药可救。人们应该懂得，如果自己因为自私而不对别人行善，那别人的善心也不会与自己分享。仁爱应摒弃私心，自己对别人的态度，就是别人对自己的态度，如果每个人都因自私而不对他人行善，那么善与爱无法共享的世界必然是一片黑暗。要使自己名贵的花卉不失本色，唯一的办法就是让邻居的花圃里也都种上同样高贵的花卉，因为心灵无私是保持高贵的唯一秘密，也是营造仁爱氛围的唯一方法。

遵义章第五

注曰："言遵而行之者义也。"

【释评】

孔子教诲世人，富有而爱好礼义；孟子告诫世人，图致富亦需施行仁义。大凡行仁义的人完全可以保持幸福而消除灾祸，爱好礼义的人完全可以保持已有的成就而防止失败。

【原典】以明示下者暗，

注曰："圣贤之道，内明外晦。惟不足于明者，以明示下，乃其所以暗也。"

【译文】

总是向人显示自己聪明，其实是愚蠢的行为。

【释评】

《素书》言："以明示下者暗。""暗"即愚蠢。处处显示自己的聪明，是一种愚蠢的做法。自古至今，聪明有才的人比比皆是。和珅是有才，所以官至文华殿大学士，家财八亿两，但因为他机关算尽太聪明，到头来，"百年原是梦，卅载枉劳神"，不仅八亿两入了国库，小命也被要了去。为人处世可以聪明，但一定要把握度，否则倒霉的就是自己。

《红楼梦》中的王熙凤何等的冰雪聪明。她八面玲珑、九面处世、外柔内刚；她笑里藏刀表面向你微笑，心里却在给你下套子。一个图她美色的贾瑞被她的计策整得一缕孤魂上青天；一个看上她老公的尤二姐被她的两面三刀给逼得吞金自尽。王熙凤的能耐大得能登天，荣、宁二府在她的整治下秩序井然，秦可卿出殡这样的大事到了她手里简直是小菜一碟。她能说会道，贾府上下无人不晓琏二奶奶。

可王熙凤是一个精明过火的女人，精明到处处好强、事事争胜，哪儿都落不下她，终于送了卿卿性命。红学家们感慨这样一个精明能干的女人最终结局如此悲惨，全在于她没有看透“难得糊涂”四字的内涵。

为人处世，是精明一点好，还是糊涂一点好，各人有各人不同的答案。黄石公在《素书》中就认为还是糊涂一点好。当然这种糊涂并不是真的糊涂，而是大智若愚。

虽说人性喜直厚而恶机巧，但很多时候不懂机巧权变又难以处世，尤其是所处的环境并不尽如人意时。所以，“鹰立如睡，虎行似病”，世间就产生了许多藏巧用晦的方法。聪明不露，才华不逞，方可负重远行。

【原典】有过不知者蔽，

注曰：“圣人无过而知；贤人之过，造形而悟；有过不知，其愚蔽甚矣！”

【译文】

有过错而不知反省的人，必会陷入愚昧。

【释评】

上古时期，有扈氏率兵攻打大禹的部落，大禹派他的儿子伯启抵抗，结果伯启被打败了。伯启的部下很不服气，要求继续进攻，但是伯启说：“不必了，我的兵比他多，地也比他大，却被他打败了，这一定是我的德行不如他，带兵方法不如他的缘故。从今天起，我一定要努力改正过来才是。”从此以后，伯启励精图治，任用贤良。有扈氏听说以后，不但不再来侵犯，反而主动投降了。

伯启虚心检讨自己，在认识到自己的缺失后，能及时弥补纠正，正是这种品质保证了他日后的成功。他的行为为《素书》中“有过不知者蔽”提供了极好的反面例证。

“有过不知”者实际上是个人缺乏“内讼”精神。所谓“内讼”，说简单些，就是在内心对自己进行自我审判，即在内心进行情感与理性、天理与人欲的权衡，找出自己的缺点，时时进行自我反省。孔子教育学生们要“修持涵养”，也就是注重修养，“内讼”正是修养不可缺少的部分。

尽管如此，能够做到“内讼”并不容易，因为人们的心境太容易受到外界的干扰。恶人受丑陋之心的牵引而做坏事，普通人也可能因为执着心、愧疚心等使自己陷入痛苦，无法自拔。如果人对于外界的事情心有挂碍，并由此生出了懊恼心、欢喜心，那么这颗心就失去了它的本来面目，也就很难做到自察自省。

【原典】迷而不返者惑，

注曰：“迷于酒者，不知其伐吾性也。迷于色者，不知其伐吾命也。迷于利者，不知其伐吾志也。人本无迷，惑者自迷之矣！”

【译文】

陷入迷途而不知返者，必然昏乱、迷惑。

【释评】

胡适先生曾在一篇文章中说道：“少年人的理想主义受打击之后，反动往往是很激烈的……我在新公学解散之后，得了两三百元的欠薪，前途茫茫，毫无把握，哪敢回家去？只好寄居在上海，想寻一件可以吃饭养家的事。在那个忧愁烦闷的时候，又遇着一班浪漫的朋友，我就跟着他们堕落了。”世事难料，在纷乱的世界中人常常会失了人生目标，陷入迷途。如果在这个时候无法振作，就是如黄石公所言的“迷而不知返者”，这样的人最终必然昏乱迷茫。

遇到挫折并不可怕，谁还不会遇到不如意的事情呢？强者与弱者的区别就是，“君子知而必改，小人迷无所知”。没有人能安享一帆风顺的人生，总是会在生活中遇到各式各样的挫折。谁能想过，即使是少年得志、一生严谨积极的胡适也曾有过堕落的生活。不过，强者与弱者的不同就在于，弱者会被迷茫的人生所淹没，强者却不会在堕落的生活中沉沦，他们会清醒振作，走上新的生活道路。

弱者妥协于生活，而强者挑战生活。人生会经历许许多多的拐点，这些拐点你把握不好是挫折，把握好了就是转折。

生活中，有许多人能抓住机会成功，更多的人则没能抓住机会只能啜饮人生的苦酒。胡适总是对人传达这样的思想：不要在渺茫的人生中沉沦，要时刻记得奋发向上的决心。苦海无涯，要想出头，就得奋力挣扎。世上没有渡人的舟，在这一片苦难中茫然呆坐，往往等不来救助，而只能等到灭顶的沉没。

【原典】以言取怨者祸，

注曰：“行而言之，则机在我而祸在人；言而不行，则机在人而祸在我。”

【译文】

因言语招致埋怨，必然产生祸患。

【释评】

俗话说：“病从口入，祸从口出。” 中国人自古就重视口舌之祸，《鬼谷子·权篇》有云：“古人有言曰：‘口可以食，不可以言。’言者，有讳忌也。”一个人饭可以吃，但话不可以乱说。如果常在众人之中鼓唇弄舌，总有一天会自食苦果。所以，做人要管好自己的嘴，防止说话时毫无顾忌，给自己带来灾祸，就像《素书》所说的“以言取怨者祸” 。

古今中外，“以言取祸”的例子实在不可胜数，东晋孝武帝司马曜因言而死就是其中的一个。

司马曜是东晋王朝比较有作为的皇帝。他在位期间，晋王朝多少出现了一些振兴之象，还曾经创造了军事史上的奇迹——淝水之战。然而，司马曜也贪图享乐，嗜酒如命，太元二十一年（396）的一天，司马曜与宠爱的张贵人一起饮酒，已有七分醉意的他逼着张贵人陪自己对饮。张贵人此时已无力多喝，就坚决辞谢。司马曜心生不满，半真半假地说道：“当年你凭着自己的美貌才被封为贵人，如今你年近三十，美色日衰，何必白白占了一个贵人的名位，明天我就废黜了你，另选新人。”说到这里，司马曜酒气上涌，大口呕吐，喷得张贵人满头满脸的秽物，接着便沉沉睡去。

虽然这只是司马曜的酒后醉语，玩笑成分居多。对于张贵人来说却如晴天霹雳。她自得宠以来，从未受过如此羞辱。想到自己多年的小心服侍，换来的竟是打入冷宫甚至被赐死的下场，她杀心顿起。于是，张贵人召来心腹宫女，用被子将司马曜活活捂死了。

可怜司马皇帝，只因酒后开了个玩笑，竟丢掉了性命。可见，为人处世，当慎思谨言。

【原典】令与心乖者废，

注曰：“心以出令，令以心行。”

【译文】

政令与心愿不一致，则必然导致政令偏废。

【释评】

“令与心乖者废”指明，决策必须与“心愿”，即民心相符。决策一事，为的是掌兵领众，治国安民，并施以权威。如果与民心相违，必然导致事情失败。因此，历代贤明的统治者在做出决策时，都会注意政策与民愿相符。历史上刘邦入关中后与民约法三章就是一例。

公元前206年，刘邦率领大军攻入关中，到达离秦都咸阳只有几十里路的灞上。当时，秦二世胡亥已经自杀，他的侄子子婴向刘邦投降。众人都认为应该杀了子婴，但刘邦认为这样做会不得民心，所以没有这么做。

刘邦攻进咸阳后，本想住在豪华的王宫里，但张良告诫他，虽然他已经攻下关中，但是秦朝的许多严刑苛法还困扰着百姓，必须对此做出一个妥善的安排，才能安抚人心。

于是，刘邦下令封闭王宫，并留下少数士兵保护王宫和藏有大量财宝的库房，随即还军灞上。他还把关中各县父老、豪杰召集起来，宣布废除秦朝的严刑苛法，同时与众人约定，不论是谁，都只要遵守三条法律。这三条是：杀人者要处死，伤人者要抵罪，盗窃者也要判罪。接着，刘邦又派出大批人员，到各县各乡去宣传“约法三章”。百姓们听了，都热烈拥护，纷纷取了牛羊酒食来慰劳刘邦的军队。

秦王的各项严酷律法与刘邦的“约法三章”形成了鲜明对比。前者与民相违，后者以人为本，从民愿出发。刘邦在民心的争夺上打了一场漂亮仗，为他最后取得天下，建立西汉王朝奠定了基础。

【原典】后令缪前者毁，

注曰：“号令不一，心无信而事毁弃矣！”

【译文】

号令前后不一，无法执行，必然导致失败。

【释评】

决策是领导者的一项重要工作。决策的科学性与明确性对团队的运作起着至关重要的作用。因此，领导者在下决定时，必须防止决策的随意性，既不能轻易做决定，更不能轻易改变决策，朝令夕改。“后令缪前”与“令与心乖”一样，都是科学决策的大敌。

有些领导者思维极为活跃，他们一天一个想法，今天变革比较时髦，他们就抓变革；明天目标管理很吃香，他们就抓目标管理。往往一个决策才执行一半，下属就被要求执行下一个决策。这样的领导者不但不能带好团队，还会招致怨恨。因为领导者的“后令缪前”会给下属带来诸多不便，同时也浪费了大量的财力、物力和时间。

回顾西汉末年，王莽篡政建立了新朝，对制度进行大规模的改动，他朝令夕改的行为让百姓无所适从，从而使天下大乱。制度是要变化，但这种变化也应符合形势的需要，如果形势不需要新的制度而强行改革，制定出来的新制度不如原先的制度，那么，这种变化只能是庸人自扰。

因此领导在做决定时，首先必须掌握翔实的过去和现在的有关信息，进而通过丰富的想象以及严密的逻辑思维和敏锐的判断，做出科学的预测，这样才能避免混乱的决策带来损失。

【原典】怒而无威者犯，

注曰：“文王不大声以色，四国畏之。故孔子曰：不怒而威于铁钺。”

【译文】

发怒却没有威严，无人畏惧，必然会受到侵犯。

【释评】

《素书》云：“怒而无威者犯。”意即没有威严的人即使是大声呵斥他人也不会有人尊重，可见领导者的威严十分重要。古人对于“威严”也有一番讲究，比如，如果发生必须“杀一人而震三军”的情况，那么该杀则杀。这就是“王者风范”。

当年吴王委派孙子训练宫中嫔妃成为娘子军。起初，宫妃们觉得好玩，视同儿戏。孙子一再劝说，并告诫如不听命，即要严惩。其中吴王最宠爱的两个妃子根本听不进去。三日过去，孙子果然行使无情军法，斩掉了那两个妃子，宫妃们肃然起敬，立即军容整肃，井井有条。

在领导者与下属关系上，没有令对方与下属感到畏惧的震慑力，就不容易行使职责。只是有一张和蔼的脸、一番美丽动听的言辞，有时并不能起到令行禁止的作用。

领导者保持王者风范，最重要的就是给自己找好定位，与下属的距离不能太近也不能太远。近了，就可能让下属没大没小；远了，则可能让人不敢靠近。威严也不是恶言相对，整日板着面孔训人。与下属保持一定的距离，领导者才能保持王者风范，才能在工作时对待属下说一不二，让属下心生敬畏之心。但是，有的领导者遭遇了《素书》所言的“怒而无威”的窘态，原因何在？

因为威严是一种内在的修养，是个人魅力的集中体现。领导者的威严取决于他的个人魅力所能达到的高度。对于一个拥有极大个人魅力的领导者而言，并不需要用发怒来体现自身的威严，却能够不怒自威。这是威严的最高境界。然而，这并非所有人都能轻易达到，因为它需要以个人的深厚修养为基础。个人魅力可以发挥“正无穷”的力量，因此，营造个人的这种影响力十分必要，也只有这样的权威能让下属真正倾心，甘愿会聚在领导周围为其效力。

【原典】好众辱人者殃，戮辱所任者危，

注曰：“己欲沽直名而置人于有过之地，取殃之道也！人之云亡，危亦随之。”

【译文】

喜欢当众侮辱下属的人，必然要遭殃。对自己的部下过分责难的人，必然会令自己处于危险的境地。

【释评】

黄石公在《素书》中说："好众辱人者殃。"喜欢在众人面前侮辱他人的结果就是"殃"。说人过失，揭人短处，对众羞辱，会让人心生怪怨，恐伤人之祸殃。领导者侮辱下属的话一出口，只会让下属心灰意冷，或大闹一场，更加拉大了下属与领导者之间的距离。领导者必须明白，下属的自尊心是应该受到保护的。不伤害下属的自尊心，不仅是尊重其人格，而且对领导者的事业大有好处。人有了自尊心，才会求上进，有上进心，才会努力工作。

调查研究表明，凡是自尊心很强的人，不论在什么岗位上，都会尽自己的努力而不甘落后于人。明智的领导者不仅要保护下属的自尊心，还要想方设法加强下属的自尊心。比如，注重礼貌，让他们充分体会到自己作为一个人与上级在人格上是平等的；或使用适当的褒奖，让他们有荣誉感，等等。

自尊心受到损伤的程度是不同的，一类属于局部，就是说，被害者的自尊心并未完全失去，他还能感觉到自己受了伤害，这样他就必然会记住伤害他的人，对之产生反感、憎恶乃至仇恨。如果这个人是他的领导，他要么积极地谋划调离本单位，要么采取不合作态度。只要是你说的话、你下的指示，他都不会尽心尽力、心甘情愿地去办。这样，怎么可能把工作搞好呢？另一类是属于全部的，就是说，被害者已经全然失去自尊，他甚至感觉不到什么叫自尊心受伤害。他自暴自弃，什么事都干。到头来，不仅下属自己的前途受影响，对领导者的工作也大为不利。

【原典】慢其所敬者凶，

注曰："以长幼而言，则齿也；以朝廷而言，则爵也；以贤愚而言，则德也。三者皆可敬，而外敬则齿也、爵也，内敬则德也。"

【译文】

怠慢应当敬重的人，必然会招致不幸。

【释评】

礼贤下士是一个通晓用人之道的领导者所不可或缺的素质。豫让说："士为知己者死。"只要你真心尊重人才，必然能换来他们忠诚的追随。老子说："善用人者为之下。"善于用人的，必然谦虚待人，居人之下。儒生不可辱，人才一般都有极强的自尊心，他们的自尊心得不到满足，是难以全心全意为你服务的。

周文王是商朝末年时西方诸侯之首，他是一个非常善于招纳人才的君主。为了做好兴周灭商的准备，他在政治上广泛收罗人才，礼贤下士。他为了得到一个理想的驰骋天下、总揽全局的帅才，日思夜想。有一天晚上，他做了一个梦，梦见自己到天帝面前去求人才，天帝没有说话，却从其身后跑出一只带翅膀的黑熊，此物十分威武，连飞带跑地到了他的面前，向他侃侃而谈兴国之道，治国之策。

第二天，文王决定到郊外去打猎，便让人占卜一卦，看看此行是否会有收获。这些人知道文王求贤若渴，占卜前就听到文王谈过他昨晚的梦，便高兴地对文王说："此次有好兆头，此次打猎必有收获。"

周族位于离渭水不远的地方，文王等人信步走到溪边，看见一个老人端坐在潭边垂钓。此人长须飘拂，仪态安详怡然。文王见此人形象和梦里的飞熊形象有许多相似之处，而且他一本正经，目不斜视地垂钓，让文王走到近旁也不敢惊动。过了一会儿，老人把渔竿向上一提，没见提上鱼来，却见尾端系着一个直钩。文王情不自禁地说："直钩钓鱼能钓上来吗？"老人慢条斯理地说："我做事从不强求，愿者上钩嘛。"

文王见此人见识不凡，便上前深施一礼，并问起他的姓名。在交谈中文王得知他姓姜名尚，又名牙，人称姜子牙。此人曾在商都朝歌屠牛卖肉，又在各处卖酒，一直穷困潦倒，连妻子也离他而去另嫁他人，年过花甲仍无用武之地。

他听说文王礼贤下士，就来投奔。但因无人引见，他只好天天在渭水边钓鱼，等待时机。他与文王的一番谈话很有见地。文王丝毫不因为他的贫贱而产生傲慢心理，他说："当年我的先祖太公曾说过，将来一定会有圣人来到我们这里，帮助我们兴旺发达起来。先生恐怕就是那位圣人吧？从我们太公起，到先父，到我，盼望您很久了。"于是姜子牙就随文王回国都，尽心辅佐周文王和周武王。文王渭水屈身访贤的故事传遍全国，许多有本事的人都知道文王礼贤下士，纷纷前来归附。文王对所有贤士都很恭敬、信赖，不讲地位、身份、贵贱，如此众谋士都鞠躬尽瘁忠心辅助文王。

只要你将自己置于恰当的位置，尊重追随者，人家就会尊重你；相反，你越摆架子，就越有可能与人才失之交臂。"官架子"，就是我们常说的"派头""摆谱"，这是一些领导者很容易犯的毛病。有些领导者总认为自己是个官，于是在追随者面前总想摆出一副非同凡夫俗子的架子，以为只有这样，下级才会尊重自己，畏惧自己，其实，这是一种误解，尊重、威严不是靠摆架子能够求得的。

【原典】貌合心离者孤，亲谗远忠者亡，

注曰："谗者，善揣摩人主之意而中之；忠者，推逆人主之过而谏之。合意者多悦，逆意者多怒；此子胥杀而吴亡，屈原放而楚亡是也。"

【译文】

与人貌合神离者，必然陷入孤独；亲近奸谗小人，远离忠良之士者，必然遭遇灭亡的厄运。

【释评】

一件事情能否成功，绝大多数不是由一个人的力量所能决定的，它需要众人的配合与共同努力。正所谓土帮土成墙，人帮人成城，只要齐心协力，便能产生“兄弟同心，其利断金”的强大威力。

每个人都有自己的性格和习惯，在平时的生活中也有自己的原则、解决问题的方法。当大家为一个目标共同努力的时候，就会自动地隐藏不合群的部分，彼此之间变得默契、友善。正所谓“人心齐，泰山移”，目标指向哪里，哪里就会产生惊人的力量，如《孙子兵法》中所言，“上下同欲者胜”。

众人合力在战争中也是获胜的一个重要因素，《孙子兵法》提到：用把马并缚在一起、深埋车轮这种显示死战决心的办法来作战，是靠不住的；要使部队齐心协力、奋勇作战如同一人，这才是治理军队的方法；要使强弱条件不同的士卒都能够发挥作用，关键在于恰当地利用有利的地形。所以，善于用兵的人能使全军上下团结一致。

要想做到上下一心，众人要有共同的原则、目标与理想，也就是《孙子兵法·始计篇》中指出的“道”，它可以让队伍上下一心、生死与共、不惧危险。做任何事情都需要一个明确的目标，对于一个团队来说更是如此。如果领导者不能够提出一个大家为之奋斗的目标，不论是在思想上还是在行动上，整个团队都会气势大跌。联想就是靠着这种“上下同欲”的力量，得以发展壮大至今日之势。

联想刚刚建立时，众人付出了难以想象的艰辛。

没有办公室，所有人都不分职位地挤在两间阴冷的小平房里办公。没有地方住，大家自己动手将自行车车棚改造成了临时宿舍。四十多岁的甘鸿老师，为了拿到一张计算机的“进口许可证”，顶着三十九摄氏度的高烧还往外跑。当他终于拿到“进口许可证”的时候，腿一软就从五楼滚到四楼，摔得遍体鳞伤。

正是这样目标一致、上下同心、不畏困难、勇于挑战的精神支撑着联想一步步走到今天。没有目标的行动就像一趟没有目的地的远行，很多时候只能原地踏步。作为领导者，必须为大家提供一个共同的目标与努力方向，将大家紧紧地团结在一起，为目标与方向而奋斗、拼搏。《孙子兵法·九地篇》中指出，指挥作战的人要像“率然”蛇一样。“率然”是生长于常山的一种蛇，打它的头部，尾巴就会来救助；打它的尾巴，头就会来救助；打它的腰身，头尾都会来救助。试问：“可以让军队如率然一样吗？”答曰：“可以。吴国人和越国人是互相仇视的，但当他们同船渡河而遇上大风时，他们相互救援，配合默契就如同人的左右手一样。”如若人人都能如“率然”蛇和身处险境的吴国人、越国人一样，都同心协力奔目标，自然就不愁不能“上下同欲”了。

【原典】近色远贤者昏，女谒公行者乱，

注曰：“如太平公主、韦庶人之祸是也。”

【译文】

亲近女色，疏远贤人者，必然昏庸无能，一事无成；女子干政，必然会使社会产生动乱。

【释评】

对历史多少有了解的人，都知道“红颜祸水”这个词。俗话说得好，英雄难过美人关。男人可以对金钱和功名嗤之以鼻，但往往在美色面前就昏了头。作为普通人，可能是一事无成；而作为一个国君，则可能祸国殃民。

妹喜是夏朝最后一代天子的妃子。嫁给桀之后，纵情声色，恣意享受。酒池疯饮，裸身嬉戏。桀还制造了一个“倾台”，供他们俩玩乐。据说妹喜爱听裂帛之声，桀马上命令各地每天进贡丝绸一百匹，让人轮流撕开来给妹喜听。如此浪费民脂民膏，简直不可饶恕。据说当时很多老百姓被逼得家破人亡，走投无路。他们指着太阳骂道：“时日曷丧？吾与汝偕亡！”由于桀专宠妹喜，不理朝政，很快他的夏朝就被曾经的小部落商给灭掉了。

虽然到了女性解放的现代，红颜祸水的说法已经不被大多数人所接受，但是可以说，爱好美色是天性，是合理的欲望，但一定要在合理合法的范围内，否则就会招来灾祸。

【原典】私人以官者浮，

注曰：“浅浮者，不足以胜名器，如牛仙客为宰相之类是也。”

【译文】

私下买卖官位，让庸碌之辈掌权，就会导致政事虚浮，误国废事。

【释评】

“私人以官”，即领导者以权谋私，依自己的喜好亲疏来任命官吏，唯私是举。历史上的乱政通常有四种情况：宦官篡权、朋党之害、外戚当政与地方势力膨胀。之所以出现这些情况，无不是上位者“私人以官”。私人以官者不问贤愚，不问实际情况，只要是有亲戚或朋友想当官，就算没有这个岗位，也会以权谋私，私设官职。

在这方面，又不得不提到唐太宗，他在用人上就坚决杜绝“为人择官”。他的用人智慧真正体现了一个英明领导人应有的素质。

唐太宗的叔叔李神通为唐王朝建立立下了汗马功劳，他自认为在众大臣中他的功劳最大。但是，唐太宗在论功行赏时却将他排在了后面。因为唐太宗认为，李神通虽然首先举兵起义帮助自己，但是房玄龄、杜如晦他们出主意、定计策对自己的帮助更大，论功劳，理应排在他的前面，而且李神通是至亲，不能徇私情增加对他的封赏。

任人唯亲是用人之大忌。无数事实表明，任人唯亲，以权谋私，是导致事业失败的重要原因。因为这种行为导致机构膨胀，人浮于事，情况日益严重就会产生动乱。那么如何才能做到任人唯贤？作为管理者，必须把握住以下两个基本点：

第一要有“公心”。关键在于无私。孔子说，君子对天下之人，应不分亲疏，无论厚薄，只亲近仁义之人。这就是说，在人才问题上，应该不计较个人恩怨、得失，而只考虑国家的利益、民众的利益。

第二是虚怀若谷，能够不计较个人恩怨和得失。抛弃个人成见，客观地对他人做出评价；即使对其并不喜欢，也绝不以私害公、以私误公，而应毅然选拔。此外，对能力强于自己、品德贤于自己的人，要加以举荐，或使他来代替自己，或使他居于自己之上。

总之，用正确的人，正确地用人，才能够集众人之力共谋发展，否则不仅不能产生合力，反而会阻碍前进的脚步。

【原典】凌下取胜者侵，名不胜实者耗，

注曰：“陆贽曰：‘名近于虚，于教为重；利近于实，于义为轻。’然则实者所以致名，名者所以符实。名实相资，则不耗匮矣。”

【译文】

欺凌属下，以势压人者，也必将受到属下的侵犯；名不副实者，虽耗尽精力，亦不能办好事情。

【释评】

为富为贵者应该记住黄石公在《素书》中对世人的提醒："凌下取胜者侵。"意即倚仗自己的财势欺弱霸强的人，必然会走上毁灭之道。这也应了一句俗话："多行不义必自毙。"

"千古一帝"秦始皇，横扫六国，一统江山，天下财富皆归于他。为了满足自己的奢欲，他在都城附近大兴土木，修建阿房宫，修建骊山墓，所耗民夫竟达七十万人以上。据记载，阿房宫的前殿东西宽达七百多米，南北差不多一百一十五米。殿门用磁石砌成，目的是防止来人带兵器行刺。此外，秦始皇单在咸阳周围就建宫殿二百七十多座，在关外的行宫竟有四百多座，关内有三百多座。

修建这样庞大的工程当然需要大量的人力、物力、财力。据估算，当时服兵役的人数远远超过两百万，占当时壮年男子人数的三分之一以上。庞大的工程开支加上庞大的军费开支，造成了"男子力耕，不足粮饱，女子纺织，不足衣服，竭天下之资财以奉其政"的悲惨局面。民不聊生，百姓过着"衣牛马之衣，食犬口之食"的痛苦生活。最终，他的万世皇帝梦只维持了短短十五年。

古人说："富而好礼，孔子所诲；为富不仁，孟子所戒。盖仁足以长福而消祸，礼足以守成而防败。怙富而好凌人，子羽已窥于子皙；富而不骄者鲜，史鱼深警于公叔。庆封之富，非赏实殃；晏子之富，如帛有幅。去其骄，绝其吝，惩其忿，窒其欲，庶几保九畴之福。"这段话的大意是：富有而爱好礼义，这是孔子对人的教诲；不能因图致富便不施行仁义，这是孟子对人的告诫。怀有仁义之心的人，都可以保持幸福而避免灾祸，遵守礼义的人都可以拥有很高的成就而避免失败。自恃富有而喜欢欺侮别人，结局不会好，正如子羽已观察到子晳的结局；富有而不骄傲的人很少，史鱼曾对公叔提出深刻的警告。庆封的富有不是上天赏赐，实为灾祸；晏子的富有如同布帛那样有一定的限度。舍弃骄傲，根除吝啬，控制怒气，节制情欲，这样才能保证享受人间的福分。

另外，关于“名不胜实者耗”这一句，南怀瑾先生说：“名者，人爵也。名不胜质得之不祥。”最典型的就是赵括的例子，赵括是战国时赵国名将赵奢的儿子，喜欢谈论兵法，却没有实战经验。赵奢临终前告诫他的妻子说：“括若为将，必败赵兵。”当时正值秦国入侵赵国，赵王派赵括领兵迎敌，赵母谏之不听。结果长平一役，赵括败亡，赵国降卒四十万，尽为秦坑杀。从此以后，赵国精壮之兵上尽亡，国家一蹶不振。

其实，任何事都应该讲究个名实相副。否则，在物，如羊质虎皮，文不符质，必损其威；在人，表面似君子实为小人，表里不符，必耗其德；在官，德不配位，则必耗其明。

【原典】略己而责人者不治，自厚而薄人者弃废，

注曰：“圣人常善救人而无弃人；常善救物而无弃物。自厚者，自满也，非仲尼所谓‘躬自厚’之厚也。自厚而薄人，则人才将弃废矣。”

【译文】

对己宽容，对别人求全责备者，什么事情也办不好；对己宽厚，对别人刻薄者，必将被人所唾弃。

【释评】

在生活中，我们应做到责人以宽，责己以严。具体说来就是，如果我们想要让别人服从我们的管理，首先要把对自己的要求提得比别人高一些，才会形成影响力，而在具体实行时，适当灵活运用这些原则，对待别人宽厚些，反而会让别人打

心底里服气并主动向更高的标准靠拢。

汉文帝时，袁盎曾经做过吴王刘濞的丞相，他的从使与他的侍妾私通。那个从使怕袁盎降罪于他，就畏罪逃跑了。袁盎知道后亲自带人将他追了回来，将侍妾赐给他，对他仍像过去那样倚重。

汉景帝时，袁盎入朝担任太常，奉命出使吴国。吴王当时正在谋划反叛朝廷，想将袁盎杀掉。他派五百人包围了袁盎的住所，而袁盎对此事毫无察觉。恰好那个从使在围攻袁盎的军队中担任校尉司马，他就买来两百石好酒请这五百个兵卒开怀畅饮。围兵们一个个喝得酩酊大醉，瘫倒在地。当晚，从使悄悄溜进了袁盎的卧室，将他唤醒，对他说："你赶快逃走吧，天一亮吴王就会将你斩首。"袁盎问："你为什么要救我呢？"从使对他说："我就是以前那个偷了你的侍妾的从使呀！"袁盎大惊，赶快逃离吴国，脱了险。

宽容是一种处世哲学，宽容也是一种较高的思想境界。有些时候，宽容别人也就是善待自己。袁盎若不能够以德报怨、宽以待下，恐怕早在吴王叛乱时命丧黄泉了。

以身作则时，我们应该以严格要求自己，一切按原则办事。但是待人则相反，应该以宽厚为本。与人相互往来，不可避免会出现或大或小的错误，这个时候不要动不动就对人横加指责，大声呵斥，而应该心气平和地予以宽容。很多时候，别人对我们产生仇恨心理并不是因为我们得罪了他们，而是我们对他人的小过缺乏宽容之心。

【原典】以过弃功者损，群下外异者沦，既用不任者疏，

注曰："措置失宜，群情隔息；阿谀并进，私徇并行。人人异心，求不沦亡，不可得也。用贤不任，则失士心。此管仲所谓'害霸'也。"

【译文】

因为属下微小的过失就忽略其功劳的，必将大失人心，最后损害自身利益；上下离心，内外异志，必定沦亡；任用属下却不加以信任，必然导致上下关系疏远。

【释评】

宽容在中华民族的传统文化中有着丰富的文化底蕴。古人将宽容融入社会的各个方面，如做人、做事、为官等。当团队成员犯了错时，领导者依规章处理自然是基本原则，但领导者也必须懂得处罚的艺术，“以过弃功”是领导者的一大忌。

当年明英宗在土木堡之变中被瓦刺俘虏，明朝廷人心惶惶。时任兵部尚书的于谦，当机立断，建议太后立郕王朱祁钰为皇帝，是为明景帝。后于谦辅佐景帝除去了宦奸王振，奋励士气，屡败瓦剌军队，赎回了明英宗。然而在景泰七年（1456），明英宗为复位便以谋逆为由杀死了于谦。于谦赴死之日，人人为之惋惜。

这便是“以过弃功”。于谦为难得的忠臣贤良，尤其是在土木堡之变后，在维持国家安定上更居功至伟。他拥立郕王为帝实为非常时期非常之举，虽有过，但英宗以这一过错为理由将其处死，实有失民心。史载于谦之死“天下冤之”。

在管理中，上级与下级之间发生矛盾和冲突在所难免，下级触犯上级的情况也时有发生。遇到这种情况，管理者应以豁达的态度泰然处之，不能耿耿于怀。

面对原先有过错的人，“念旧而弃新功”也是领导者的大忌。人才难得，因某个人以往的不是而否定了他的才华，是愚蠢的小人。

【原典】行赏吝色者沮，多许少与者怨，既迎而拒者乖，

注曰：“色有靳吝，有功者沮，项羽之刓印是也。失其本望。刘璋迎

刘备而反拒之是也。”

【译文】

奖赏属下时吝啬小气，会令人沮丧、失望；许诺多，实际兑现少，必然招致众人的埋怨；起初热情欢迎，之后又将人拒之千里的做法，必然会使双方的情义断绝。

【释评】

奖赏是一门艺术。对于下级而言，并非所有的奖赏都是激励。如果领导者在奖赏中不公平，对赏的时机把握不当，反而会将好事变成坏事。一般说来，要做到正确奖赏有几项基本要求。首先，上下能共享成就。如果领导者将所有的功劳业绩都揽在自己身上，属下的积极性就会大大受挫，最终会导致上下离心。

如越王勾践用范蠡、文种灭吴称霸。后勾践于会稽大宴群臣，满座皆欢，只有勾践面无喜色。座下的范蠡见了便叹：“越王不想将灭吴的功绩与臣下共享。他日越王必会对当初的功臣产生疑忌。”第二天，范蠡便乘扁舟入五湖而去。

与大家分享劳动成果就是所谓的“与天下齐利”。其实下级的成果就是上司的收获。与下级共享成果，对上司不会有丝毫损失，对下级则是莫大的激励，他们工作也会更积极主动。因此，一个乐于分享成果的领导者，一个有“与天下齐利”精神的人，才能获得长足的发展。

当年项羽进关中后，一路上杀死秦降军二十多万，屠杀咸阳人民无数，杀死秦降王子婴。烧宫室，杀兵士，抢夺财宝和妇女，使秦民大失所望，由此也埋下了失败的种子。但刘邦能做到与秦民“约法三章”，“与天下齐利”，争得了民心，最终问鼎中原。从刘邦、项羽不同的利益分享方式而引发的不同人生结局可知，居上位者应当对“与天下齐利”有更进一层的领悟。

总之，领导者成就功业时，别忘了为你打下江山的下属，设法让他们分享你的利益，让他们也有所晋升，或得到一些奖励，这才是对他们最大的关心。此外，领导者还要注意及时兑现承诺。信誉是人无形的财富，“多许少愿”，会削弱人们对你的信任。因此，许下承诺就要兑现，这是做人的学问，也是处理好君臣关系、树立自己威信的原则。

可是，不少上司所做的最糟糕的一件事就是轻易许诺，可又偏偏不珍惜这一诺千金的价值，在听觉与视觉上满足了下属的希望之后，又给下属留下了漫长的等待与终无音讯可闻的失望。这种轻易许诺而又没有想到按时兑现的习惯，是一个组织内部关系最可怕的腐蚀剂。而诺言的承兑让所有等待许久的人有一种心满意足的喜悦，更坚定了他们未来就在手中的信念。领导者也将成为众人关注的热点，那些伸向领导的手不再是讨要报偿的大手，而是助领导者发达的有力臂膀。

难以实现的诺言则比谣言更可怕，它骗取了人们的真心。一旦员工有了不信任领导者的心态，领导者的权威便消失了。赤裸裸的雇佣关系会让领导者觉得自己置身于一个由僵硬的人际关系构成的组织环境之中，无益于公司的发展。

最后，领导者还要注意在物质上给予下属激励，切不可“薄施厚望”，对他们过多要求而忽略了他们最基本的需要。合理的物质奖励才是激励下属最直接有效的方法。

【原典】薄施厚望者不报，

注曰：“天地不仁，以万物为刍狗；圣人不仁，以百姓为刍狗。覆之、载之，含之、育之，岂责其报也。”

【译文】

总想用小恩惠换大回报的人，必不能得偿所愿。

【释评】

黄石公在《素书》中提醒世人，世界是公平的，你如何对待他人，他人也会如何对待你。因此，如果一个人对别人施了一点小小恩惠就想要得到他人丰厚的回报，那他一定会失望，即“薄施厚望者不报”。因为，“祸福无不自己求之”。人的事情之所以做得顺利，能得到很多人的帮助，是因为这个人以前做过很多好事，也帮助过别人。因此，若想得到好的回报，不肯先付出是不可能的。只有善始才能善终，若想事情有好的结果，就应该先付出，这样才会有相应的收获。

所有人都会想着要得到点什么，却很少有人愿意付出。可是，正如种庄稼一样，春种一粒粟，秋收万颗子。给予是得到的前提。同样，和种庄稼一样，种瓜得瓜，种豆得豆，给予别人什么，也将得到什么。

弘一大师曾说：“我在泉州草庵大病的时候，承诸位写一封信来，各人都签了名，慰问我的病状，并且又承诸位念佛七天，代我忏悔，还有像这样别的事，都使我感激万分！”弘一大师能得到别人的关怀，是因为他先给予了别人关怀，他种下了善因，所以收获了善果。

一个猎人上山打猎，看见一头狼卧在山坳里，当他举起猎枪瞄向狼的时候，狼站起来看了一下没跑又卧在那里。猎人不明，近前一看，发现是只怀孕的母狼，而且显得有些可怜，狼看着猎人像是在乞求猎人饶它不死。原来这只狼一条腿折了。猎人心软了下来，不但没有杀它，还给它的折腿敷药包扎。

冬天到了，一场大雪封住了家门，猎人一连好多天无法上山打猎。一天夜里，猎人听到自家靠山根的后院里传来扑通声，像是有人往院里扔东西。第二天，猎人开门一看，院里多了几只野兔和山鸡。以后每逢下大雪不能出去打猎的时候，都是这样，原来是狼在报恩。

你若想别人怎样对待你，你先要怎样对待别人。这是个简单而永恒的真理。

【原典】贵而忘贱者不久，

注曰：“道足于己者，贵贱不足以为荣辱；贵亦固有，贱亦固有。惟小人骤而处贵则忘其贱，此所以不久也。”

【译文】

富贵之后就忘了贫贱时的情况，这样的富贵必不会长久。

【释评】

晚清“中兴四大名臣”之一、直隶总督、湘军的创立者曾国藩位高权重，富贵荣华享之不尽。但曾家的饭桌上总是有一碟腌菜，它与堂皇之家的富丽相比，显得无比寒酸。这是曾国藩在提醒自己不要忘本。

早些年，曾家没有一亩田地，曾国藩的爷爷是靠着给大户人家当短工来维系一家人的生计。家里渐渐有了一些积蓄的时候，曾老太爷就买了几分薄田。每年，老太爷都用自家产的菜做腌菜供家人食用。但因家中人口多，所以田里的菜即使都腌上，也还是不够吃。老太爷就想出一个办法，把别人家不要的菜叶和菜根收回来，去掉老皮，跟菜一起腌了。后来，曾家渐渐过得好了，老太爷依然保持着原来的传统，收集很多菜叶和菜根，与菜一起腌上几十缸。

曾国藩就是吃着这样的腌菜长大的。后来，他位极人臣，依然不忘早年的苦处。他的饭桌上总有一碟腌菜，时刻提醒他自己不能忘本。

穷不失志，富不忘本。越是取得了成绩，越不该忘记本分，就如同一棵树，越是枝叶繁茂，就越不应该忘记滋养它的土地一样。如果忘记了功成名就以前的贫贱，就只能在物欲与贪婪中徘徊，失去进取之心，在自享其乐中自毁前程。就如当年生于贫贱的洪秀全，于金田村起义后，攻克南京，建太平天国，拥百万之众，自立“天王”，中外震动。但他富贵之后，不思进取，忘记当年的贫贱之况，成为当初他所反对的统治者一样的人，于是，他失尽民心。同时，太平天国内部的杨秀清、韦昌辉等当年同患难的兄弟，也因争权而自相残杀。最终，太平天国为清廷所灭。太平天国的遭遇正如《素书》所言，贵而忘贱者，其富贵必不能久享。

“贵而忘贱”还指这样一种人：他在贫贱时得到了患难之交的支持，糟糠之妻的鼓励，可一旦富贵起来，却将曾经帮助他的人抛之脑后。他不愿与人分享成就，最终众叛亲离。这样的人即使是眼前获得了成功，也不会长久。

【原典】念旧恶而弃新功者凶，

注曰：“切齿于睚眦之怨，眷眷于一饭之恩者，匹夫之量。有志于天下者，虽仇必用，以其才也；虽怨必录，以其功也。汉高祖侯雍齿，录功也；唐太宗相魏郑公（徵），用才也。”

【译文】

对别人的旧恶耿耿于怀，对其新立功勋却视而不见，这样的人必将遭遇凶险。

【释评】

陈寿在《三国志·蜀书·秦宓传》中写道：“记人之善，忘人之过。”意思是说：人有恩于我，不可忘；人有怨于我，不可不忘。古人告诫我们要以最真的诚意牢记善行和义举，以最大的宽容和忍耐忘却仇恨。这是一种积极的人生态度，更是一种可贵的待人之道。

现实生活中，由于每个人思考角度不同，难免会有一些误会、摩擦；或因一时迷于名利，办了糊涂事。如果我们不能忘记他人的过失，一直心存怨恨，不但对身体无益，影响健康，而且自己始终活在怨恨的阴影里，小则纠缠于日益紧张的人际关系，大则会冤冤相报，困在不断升级的恶斗恐怖之中，伤身害命。

其实，除了这种做法，我们还可以选择放开心胸，宽容待之。所谓浊者自浊，清者自清。为人处世，“不责人小过，不发人阴私，不念人旧恶”，不仅会让对手和敌人化为己用，而且当我们实践这种美德时，我们就向更加成熟、有所进步的自己靠近了一步。

在我们生活的世界，从来没有永远平静的大海，也从来没有一马平川的人生，只要我们活着，再好脾气的人也或多或少会有和别人发生口角和争执的时候，这个时候如果针尖对麦芒地应对只会让整个人生陷入悲伤的循环中。只有宽容、接纳不如意，继续往前走，才能摆脱这种循环。宽宏大度，胸无芥蒂，才能吐纳百川，既养德又远害。

【原典】用人不正者殆，强用人者不畜，

注曰：“曹操强用关羽，而终归刘备，此不畜也。”

【译文】

任用不正直的人，必将产生危险；勉强用人，一定留不住人。

【释评】

出身高贵的人未必德行高尚，出身卑贱的人也未必品行卑劣；出身富贵的人未必知识富有，出身贫贱的人也未必才识拙劣。在人类历史上，曾经轰轰烈烈干出一番事业，做出贡献的人才中有不少都是出身低微的“卑贱者”。因此，出身并不能反映一个人的品德才能，更不能决定他的一生。

“唯德是举”比起“唯才是举”来说有很大的好处，尽管德才兼备的人才是每个企业家孜孜以求的，但是这样的人才毕竟很少。当只能在“德”与“才”之间选择的时候，选择“德”会比选择“才”稳妥得多。有人会说“唯德是举”容易漏掉一些真正有才华的人，但是一个有才无德的人若占据公司的重要位置，那么他可能会给公司带来毁灭性的灾难。因此，从这个意义上来讲，人品重于泰山。这是一个不容商议的话题，我们每个人都对德行的重要有所体会。同时我们自己也必须是一个人品良好的人才能获得同事的好感，以及上司的赏识。不要指望依靠自己的一点小聪明来敷衍工作、糊弄公司，这样做的后果只会让你追悔莫及。

在开办胡庆余堂药店的时候，胡雪岩已经拥有飞速发展的丝行和典当的生意，在他看来，药店的主要目的是救死扶伤，赚钱倒在其次，因此，药店的规矩就是可以向无力付钱的病人免费送药，而且他还告诉店员和坐堂经理“戒欺”，也就是说不欺骗顾客，不买卖假药。为了更好地实行这一经营理念，对于药店的总管人选，胡雪岩颇费了一番周折。

在胡庆余堂开张后，胡雪岩广泛征选药店总管，一时间应者云集。这些人都大谈生意经：怎么回收成本、提高利润、扩大规模，有的人还信誓旦旦地保证只要让他管药店，药店绝没有亏本的道理。对此，胡雪岩总是笑笑，一个人也没有录用。

一天，一个偶然的机会，胡雪岩听说江苏松江余天成药号的总管兼股东余修初一心想在药店干出一番名堂来，只是苦于自己的资金不足。胡雪岩马上到松江去拜访余修初。果然，余修初一见胡雪岩询问药店的事情，就神情大振，告诉他，为了保证出售药品的质量，就要建立自己的药厂，有自己的药号，然后才是自己的药店，只有保证这些环节都货真价实，才会真正形成自己的药市。余修初的一番话说到了胡雪岩的心坎里，胡雪岩当即请他出任胡庆余堂的总管。

药店关乎人的生死，即使少赚点钱，也不能有假药，这才是开药店的根本宗旨。也正是因为这样，当胡雪岩听到伙计打报告说购买了假药，就马上命令人销毁，同时开除了那个打报告的伙计。这个伙计为了讨好胡雪岩，并不直接向自己的主管报告，而是找胡雪岩打报告说主管的不是，这是人品的问题，被开除是意料之中的事。

道德是一种职业的操守，是你承担某一责任或者从事某一职业时所表现的职业精神。很多优秀的人士实际上都把个人品德作为第一标准，把职业道德作为职场生涯的重要组成部分，或者把职业操守作为个人的精神理念。

【原典】为人择官者乱，失其所强者弱，

注曰："有以德强者，有以人强者，有以势强者，有以兵强者。尧舜有德而强，桀纣无德而弱；汤武得人而强，幽厉失人而弱。周得诸侯之势而强，失诸侯之势而弱；唐得府兵而强，失府兵而弱。其于人也，善为强，恶为弱；其于身也，性为强，情为弱。"

【译文】

任人为官却徇私徇情，则必将导致政事混乱。失去自己的优势，强者就变成了弱者。

【释评】

"为人择官"，罔顾任人唯贤，只一路去徇私情，则必然使得官员德不配位，能力不足，无法做好组织协调工作，政事自然会混乱，这个道理人人都懂。这里主要讲讲"失其所强者弱"。

"失其所强者弱"指的是人在发展的过程中，不能失去令自己强大的因素，否则无论之前如何强大，都会衰弱。这里提到的"强"包含三个内容，一是指"优势"，二是指"强势"，三是指"强人"。

第一点“优势”即指长处。无论是个人还是团体，将自己的优势发挥到极致，是占据竞争制高点最稳妥的方法。无论是生存还是发展，都不能脱离自己最适应、最擅长的领域。因此，将精力从不擅长的领域中收回，将自己的核心竞争力集中于自己最拿手的工作，才能撬动自己的未来。

或许有人会问，对于在各方面都有优势的人来说，难道不应全面撒网全面开花吗？全面铺网的做法并不聪明。四面出击或者事必躬亲，反而会将有限的精力消耗殆尽。如此一来，优势得不到发挥，就等于自我削弱。与其如此，不如将自己的强项发挥到极致。

第二点“强势”中的“势”与优势不同，它指的是个人或团体在发展中所依靠的人脉，即关系网。与发挥优势相比，“强势”，即拓展自己的人际关系网是走向事业巅峰的捷径。

许多人在办事不顺或者四处碰壁的时候，经常会有这样的感触：“如果我有足够多的关系，一定可以更加顺利地完成这项工作！”因为，只要你和那些关键人物有所联系，当有事情想要拜托他或是与其商量讨论时，你才能够得到很好的回应。这种与关键人物取得联系的有利条件，就是好人脉所拥有的巨大力量。事实上，你编织的关系网越宽广，你做起事来就越方便。

除了“优势”“强势”，“强人”也是在竞争中获胜必不可少的因素。“强人”指的是人才。现实中，因会识人、会用人而实现事业腾达的人并不在少数。

《吕氏春秋》中写道：“身定，国安，天下治，必贤人。”“得十良马，不若得一伯乐；得十良剑，不若得一欧冶；得地千里，不若得一圣人。舜得皋陶而舜受之，汤得伊尹而有夏民，文王得吕望而服殷商。夫得圣人，岂有里数哉？”这是要求国家的统治者把尚贤作为基本国策。吕不韦的这些观点和做法，显示了他对人才的推崇。

无论是在古代还是现代，人才都被看作是制胜的关键。上级对下属的鼓励和信任，可以让下属心甘情愿、全力以赴地为其卖命。反之，则会造成人才的流失。人才从你这里流走了，就必定会为你的对手所用，这对你来说无疑是双重的打击。想要堵住这个人才流失的缺口，最关键的就是相信你所选择的人才，放开手让他去发挥自己的才干。

以上三点是制胜的秘诀，如果在强势时失去了这三样法宝，便是事业进入低谷的开始。虽说强弱无定势，但若是在强大时始终注意保持自己的“强”之所在，充分发挥自己的优势，注意经营人脉，在竞争中便有了强大的保障，而不至于过早走下坡路。

【原典】决策于不仁者险，

注曰：“不仁之人，幸灾乐祸。”

【译文】

做决策时，向仁德缺失者咨询，是一件非常危险的事情。

【释评】

司马光曾经说过，如果君主找不到圣人、君子来辅佐自己，那么宁可找一个愚人，也绝不能任用小人。因为，“决策于不仁者险”。君子会把才干用到善事上，而小人却会用才干来作恶。

持有才干做善事，能处处行善；而凭借才干作恶，则无恶不作。愚人尽管想作恶，但因为其智慧不济，气力不胜任，好像小狗扑人，人还能制伏它。而小人不同，他懂阴谋，耍诡计，又有足够的力量来逞凶施暴，就像恶虎得翼一般。如果君主身边尽是残忍无情的小人，就有毁身亡国的危险。

历史已经证明因“决策于不仁”而致危亡的经验。明英宗宠信宦官王振一事便是极好的说明。王振在入宫以前是一个教书先生，后因生计无门而自阉当了宦官。教书失败的王振入宫以后无疑是一位极成功的宦官。他得到了明英宗的极度信任，凡是他所言，英宗无有不信。仗着皇帝的信任，王振成为明代第一个专政的宦官，擅权干政，结党营私。

后来，明英宗竟然在瓦剌首领也先来犯时，让这个连作战为何物都不知的太监领兵作战。王振不仅在指挥军队时一意孤行，错漏百出，而且还与瓦剌勾结，收受贿赂。明英宗还听从王振的建议，亲征。兵部尚书邓禁、侍郎于谦、尚书王直等苦谏无果。最终，犯了“决策于不仁”错误的明英宗在土木堡一役中兵败被俘，明军全军覆没。

与明英宗不同，前秦君主苻坚虽然在历史上备受争议，但是他起用王猛一直是历史上的美谈。王猛被后世称为“关中良相”，与东晋名相谢安齐名。王猛出身贫贱，为人不善言辞，但是他深沉刚毅，志向远大。正是因为看到王猛和自己志趣相投，苻坚不顾身份，对其委以重任，并且对王猛言听计从，使其成为他壮大实力的左臂右膀。

小人寡廉鲜耻，无论是才华、视野还是胸襟都无法与贤才相比，这样的人必然会生出事端。只有贤良的人才能辅佐领导者开创盛世。

历史也已证明，盛世与贤臣总是分不开。秦朝强大有商鞅，文景之治有张释之，贞观之治有魏徵、房玄龄、杜如晦，开元盛世有姚崇、宋璟，……再好的领导也精力有限，身边有几位有远见、有谋略的军师，不仅可以增强企业的力量、延伸领导的意志和实力，还可以帮助领导在关键时刻把持住原则。

【原典】阴计外泄者败，厚敛薄施者凋，

注曰：“凋，削也。文中子曰：‘多敛之国，其财必削。’”

【译文】

隐秘的计划被泄露出去，必会导致事情失败。横征暴敛，薄恩寡施，必将导致社会凋敝。

【释评】

韩非子曾说，事情成功的很大一部分原因是保密工作做得好。试想，当年诸葛亮以空城计退司马昭时，如果不慎泄露了空城的机密，那么三国的历史恐怕得改写。除了诸葛亮的空城计，郑国同样也使过空城计。那次空城计的成功，同样得益于“阴计不泄”。

公元前66年，楚国宰相公子元亲率兵车六百乘，浩浩荡荡地去攻打郑国。郑国国力较弱，都城内更是兵力空虚，无法抵挡楚军的进犯。

郑国危在旦夕。群臣一片慌乱，不知如何是好，是打还是和意见不一，众说纷纭。此时，上卿叔詹献上一计。他命令士兵全部埋伏起来，不让敌人看见一兵一卒，令店铺照常开门，百姓往来如常，不准露一丝慌乱之色，大开城门，放下吊桥，摆出完全不设防的样子。

楚军先锋到达郑国都城城下，见此情景，心里起了怀疑：莫非城中有埋伏，诱我中计？于是不敢妄动，等待公子元。公子元赶到城下，也心生好奇，率众将到城外高地眺望，见城中确实空虚，但又隐隐约约看到了郑国的旌旗甲士。公子元认为其中有诈，不可贸然进攻，应先进城探听虚实，于是按兵不动。

与此同时，郑国向齐国求助。当公子元于城外犹豫时，齐国接到了郑国的求援信，联合鲁宋两国发兵救郑。公子元闻报，知道三国兵到，楚军定不能胜，于是下令全军连夜撤走。

这是历史上最早的空城计。在郑国和楚国的这场战斗中，从兵力上讲，楚国占据绝对优势，但是在信息上，郑国更占优势。郑国对楚军的各种形势了如指掌，从而对症下药，以空城计夺得胜利，实在是高明的对策。而这一对策之所以生效，正是因为没有人知道城里到底有没有埋伏。

《易传·系辞上》说："君不密则失臣，臣不密则失身，凡事不密则害成。是以君子慎密而不出也。"当对手知道了我们的决定之后，就能做出对他最有利的决定。所以保密、信息安全很重要。关键时刻，不透露自己的真实信息给对手，才不会给对手以破绽。

至于"厚敛薄施者凋"，这在中国历史上有太多的验证，如秦朝时，穷极天下之财力，修筑长城，建阿房宫，使得百姓流离失所，继而导致陈胜、吴广起义，刘邦、项羽等天下群雄蜂起，逐鹿中原，终至秦二世而亡，天下改朝换代。一国如此，个人也相同，只有多给予，少索取，才能财散而人聚，路越走越宽。

【原典】战士贫、游士富者衰，

注曰："游士鼓其颊舌，惟幸烟尘之会；战士奋其死力，专捍疆埸之虞。富彼贫此，兵势衰矣！"

【译文】

战士出生入死，却生活贫困，享乐之徒无所事事，却安享富贵，这样国势一定会衰败。

【释评】

黄石公生活的年代是个战乱纷扰的年代，因此他对战乱年代有着自己特殊的看法。他认为，时代动乱衰败的标志之一是，冲锋陷阵的战士贫困潦倒，生活艰难，而那些游士说客却得享荣华，富贵显赫。这种"战士贫、游士富"的时代在中国历史上以战国最为典型。那时，各国之间关系错综复杂，利益纠结。然而，这也是一个人才辈出的时代，在众多星级人物中，苏秦最耀眼，他几乎成了战国的代名词。

说客的才华只有于动乱之中方可彰显，但对于战士而言，他们需要在前线杀敌，浴血奋战。每一次战争都是一场生命的豪赌。动乱年代，往往是靠嘴皮子游说的说客掌握了决策权，获得了至高的荣誉与地位，而战士却埋骨他乡。因此，战士与说客相比，更渴望和平年代的到来。

“战士贫、游士富者衰”虽是以黄石公所处的时代背景为基础，但其中的经验同样适用于当今社会。无论古今，如果是巧舌如簧的人得势，而真正出力的人却无出头之日，那都是团体衰败的标志。因此，如果居上位者不注重对身边出力甚多的一线人才的奖励，那么便会出现“后无死战勇敢之士”的局面。当奖者必奖，让有劳者得应有的报偿，才能留住贤良之人，团体才能平稳向前发展。

另外，无论功劳大小都应该对臣属进行适当的奖励。如果居上位者吝于奖赏小功绩，那么下属也便没有创造大功绩的积极性。如果臣僚都处于“大功不立”的状态，最终事业的发展就会受阻。

【原典】货赂公行者昧，

注曰：“私昧公，曲昧直也。”

【译文】

贿赂政府官员成风，则社会政治必然昏暗、愚昧。

【释评】

翻开人类的历史，公心对人，平心对事，为人处世，最好能分清轻重，以求“公平”二字，则人们没有不服从的。不能以公为私，以私害公，这两点为官者定要铭记在心。为官者的公心最直接的体现之一即是清正廉洁。黄石公说：“货赂公行者昧。”为官受赂必然法度昏乱，黑白颠倒。私心胜者，可以灭公。为官者最重要的是什么？公心。

不以公为私，就在于廉而不贪。这不但要观察他的从前，还要观察他的后来。顾亭林在《日知录》中说："季文子死时，以大夫礼节入殓，以他用过的家用器具陪葬。没有锦衣的妾婢，没有吃粮食的马，没有家藏的金银，没有贵重家器。君子这就知道季文子是忠于王室了。辅佐三代君主，而没有家私积蓄，难道说不忠吗？"

为官不为财，只是为了尽自己的责任，发挥出自己的最大作用。像这样的人还有很多，诸葛亮就是其中之一。

诸葛亮呈表给后主刘禅说："我家在成都有八百棵桑树，薄田十五顷，子孙的穿吃二事，全靠自家，我觉得宽裕有余。至于我在外面，没有别的调度，只有随身衣物，食用之类，全都仰仗官府，不另索取，以长尺寸。我死的时候，不要使内有余帛，外有盈财，以辜负陛下。"到诸葛亮死的时候，正像他所说的那样。廉洁，不过是人臣的一节，而史家称他为忠。

读过诸葛亮的表言，他的操守、他的志趣、他的肝胆、他的赤诚之心，无不字字见血，句句心长，可以与日月同辉。读了他的表言的人，几乎没有人不为他的精神所感化。

因为清廉，所以受人尊敬，也因为清廉，所以能够流传千古。诸葛亮等人的这种精神，不仅为自己的人生点亮了一盏明灯，更是对后人产生了深远的影响。

【原典】闻善忽略、记过不忘者暴，所任不可信、所信不可任者浊，

注曰："暴则生怨。浊，溷也。"

【译文】

对别人做的好事不加重视，对其错误却耿耿于怀，这样的人

乃粗暴之人。所任用的人不值得信任，信任的又不能胜任其职，这样的政治必定混浊。

【释评】

化敌为友，让原来的政敌成为自己最得力的干将，进而帮助自己成就一番伟业，这是古代英明领导者共同的特性。

荆轲刺杀嬴政时的助手高渐离，在荆轲刺秦失败后流亡民间，嬴政爱惜他的音乐才华，大赦其罪，并任命他为宫廷乐师。

著名水利工程郑国渠的设计者郑国，原是一个秦国敌对国家的奸细，在潜入秦国被发现后，嬴政出于爱才之心，不但没有杀他，反而予以重用，让他主持完成了郑国渠。从此关中瘠薄之地变成膏腴良田，灾荒减少，秦国的经济实力进一步提高，直至最终消灭六国。

人才难得，所以很多政治家对人才往往能不计前嫌，收为己用。这也是他们能成就霸业的关键。而领导若想巩固已取得的成果，并在更高的起点上有所作为，则有赖于坚持不懈地实施行之有效的人才战略。而要实施人才战略，领导者首先要营造一种宽松、和谐的内部氛围，做到尊重人才、重视人才、信任人才、不计较人之小过，并根据他们的特长委以重任，唯此才可留住人才。因此，领导人在人才任用方面不能犯的忌讳是"闻善忽略，记过不忘"，"所任不信。"

生活中也一样，人人都会犯错误，倘若犯了错误之后不给改过自新的机会，就会激化矛盾，造成不良后果。如果我们能不计较他人的过失，设身处地为他人着想，或许在宽容的背后，还能感化一颗顽劣的心。

【原典】牧人以德者集，绳人以刑者散，

注曰："刑者，原于道德之意而恕在其中；是以先王以刑辅德，而非专用刑者也。故曰：'牧之以德则集，绳之以刑则散也。'"

【译文】

依靠道德来教化臣民，则臣民必将聚集在他的周围。若依靠刑法来维持统治，则将导致人心离散。

【释评】

黄石公一再强调只有行德政才能得人心，“牧人以德”才能广聚人才，如果一味以严酷的刑罚统御下属，则会驱散人心，即所谓的“绳人以刑者散”。所以，善驭人者，必以仁德服众。对为官者而言，“仁”最直接的体现便是体恤下属，替人着想，待人宽厚。

唐太宗曾经广开言路，倡导天下人提意见，但是由于玄武门之变，天下人误以为唐太宗是个残暴不仁之人，因此无人敢进言。于是，为了改变自己的形象，从不对囚犯下赦令的唐太宗下了赦令。

有一天唐太宗看到一个奏折上说，大约有四百名死囚将于秋后斩首，但有不少人日夜痛哭。问其原因，原来有的是家中尚有老母未曾安顿，有的是家中一脉单传未留下香火……奏折上说，用尽办法仍不能让他们停止哭闹，问是否可以提前用刑。

第二天上朝，太宗宣布将死囚们放归，以元宵节为期，等他们处理好后事之后再回来受刑。消息传出后，举国为之哗然。人们都为新皇帝的仁慈而感叹，也有一些人担心：万一到期囚犯们不回来怎么办？这些囚犯再次作乱怎么办？但到了元宵节当日早朝的时候，大理寺卿禀报说四百人全部“归队”，举国更是哗然。

当日晚上赏花灯的时候，皇帝的御驾之后，跟随的竟然是那四百名犯人，围观者无不下跪齐呼万岁，场面蔚为壮观。后来，这些按期返回的囚徒被免于死罪。

赦与不赦间，太宗光明正大地“自食其言”，而且功德圆满。他用水和舟来深刻阐述民与君的关系：水能载舟，亦能覆舟。如果要部下全心全意追随自己，就要将心比心，让他们得到他们应该得到的，保证他们的利益。由此可见，懂得感谢部下，回报部下，不计利益和索取，是领导者应当好好品味的为官之道。以柔软的内心作为根本，尽管付出很多，可是收获的将是比金钱要多出很多倍的名声。

【原典】小功不赏则大功不立，小怨不赦则大怨必生，赏不服人、罚不甘心者叛，赏及无功、罚及无罪者酷，

注曰：“人心不服则叛也。非所宜加者，酷也。”

【译文】

对小功劳不加以封赏，则不能产生大功劳。对小埋怨不宽恕，则必将产生大怨恨。行赏不能服人，处罚不能使人甘心，则必将引起叛乱。无功之人受赏，无罪之人受罚，这是残酷的行为。

【释评】

对于军队而言，赏罚分明可以提升军队战斗力；对于公司而言，赏罚分明可以提升企业的市场竞争力。如果赏罚不明，一切制度就都成了虚设。只有赏罚分明，制度才能得到巩固和完善。孙子说：“赏罚孰明？”在孙子眼里，赏罚更为公正严明的一方必然是胜利的一方。所以说，“赏不服人，罚不甘心者叛；赏及无功，罚及无罪者酷”。

纵观历史，但凡有名的军事家，在治军方面都是法纪严明的，诸葛亮更是如此。作为三国时期最为著名的领导者之一，诸葛亮管理着所有的军政事务，显然，假如没有一些手段，他是办不成事的，而诸葛亮的手段之一就是赏罚分明。对有功者，他施以恩惠，不断激励；对犯错误者，他严肃法令，秉公执法。有两件事可以反映诸葛亮的赏罚分明。

第一件事：诸葛亮首次北伐时，马谡大意失街亭，致使诸葛亮北伐之旅遭到彻底失败。诸葛亮退军后，挥泪斩了马谡。同时，诸葛亮对在街亭之战中立有战功的大将王平予以表彰，擢升了他的官职。

第二件事：作为托孤重臣的李严，一直为诸葛亮所器重。但在北伐时，李严并没有按时将粮草提供给前线，反而为了逃避责任在诸葛亮和刘禅之间两头撒谎，诸葛亮不明就里，只得退军。后来，诸葛亮了解到真相，立即将李严革职查办。

街亭一战，可以说是诸葛亮平生最为狼狈的一次。街亭战后，诸葛亮对马谡的罚以及对王平的赏，都充分地体现了诸葛亮恩威并施的不凡智慧，通过他的举措，军纪得到了整肃，士气也被大大地鼓舞了。

【原典】听谗而美、闻谏而仇者亡，能有其有者安，贪人之有者残。

注曰：“有吾之有，则心逸而身安。”

【译文】

听到谗言就十分高兴，听到逆耳忠言就心生怨恨，这样国家必然灭亡。各人满足于其所拥有的，则社会安定有序，若贪得无厌，总是贪求别人所拥有的，人民会变得残暴，社会就会开始动乱。

【释评】

为人主者通常容易犯三个错误：一是好色，二是好利，三是好谀。其中，尤其是“好谀”，即好听阿谀奉承之话，几乎是所有居上位者都容易犯的错误。昏庸的统治者自然好谀，如商纣好谀，因此杀了忠义直谏的比干等人，朝中尽余谄媚奸佞之徒。如此美谗仇谏的君主在位，《素书》称“其国必亡”。武王伐纣的事实也证明了黄石公的经验正确。

其实，有时候英明的君主也会犯“听谗而美，闻谏而仇”的错误。英明如唐太宗，也有一次因听了魏徵的良言而不悦。

贞观四年（630），天下升平。有大臣上书请求李世民封禅，在泰山祭告天地。李世民也认为自己事业有成应该封禅，便接受了大臣们的意见，同意封禅，独有魏徵坚持认为时机未到。

唐太宗听了魏徵的谏言很不高兴，他质问魏徵是不是觉得自己不够资格。魏徵回答：“皇上功业虽高，但是百姓受到的恩惠还不够多；您的德行虽深厚，但恩泽还没有遍及所有的人；当今天下虽已太平，但仍是百废待举，财力还不十分充裕；粮食虽然丰收，库存还比较空虚。这怎么能向天地报告功业呢？再说封禅是大事，四邻各国酋长都得随从庆贺，那样耗费是极大的！况伊、洛以东地区，至今十分荒凉，这不等于向四方各国展示虚弱，滋生其图谋中原之心吗？”

唐太宗被他说得哑口无言，心里很不舒服。但太宗毕竟是一代明君，虽然心头不快，也只得作罢。这样一来，国家的一大笔开支就省下来了。

很多人都明白逢迎的话不能多听，但谗言之所以比忠言更容易入耳，是因为进谗言的小人“善揣摩人主之意而中之”，而忠臣所进之言总是“推逆人主之过而谏之”，因此小人谗言合人主心意，讨人喜欢，忠臣谏言逆人主之意而招来怨恨。因此，“听谗而美，闻谏而仇”的情况就这样产生了。

对领导人而言，应该把下属的批评看作改进自我、完善个性、克制情绪、提高心理承受力以及激发斗志的机会。不要把他人的善意批评，想象成对自己的人身攻击；切忌把他人的意见误会为给自己难堪。善意的批评是人生中不能缺少的，它是人增长见识必须付出的代价。

忠言逆耳，要仔细聆听，了解他人的批评是否具有建设性。它能让你变得足智多谋、沉稳成熟。若懂得冷静聆听批评，既能保留情面，又对加深上下级之间的沟通与协作具有积极的效益。固然有些批评是尖酸刻薄的，但你也要淡化处理，这样他人才会越来越喜欢给你以忠言和卓见。所以，要学会把他人的批评当成宝，乐于接受建设性的批评并且遵照执行。

另外，关于"能有其有者安，贪人之有者残。"正所谓知足常乐，一味羡慕并贪图别人所拥有的东西，必然会陷入焦虑之中，不若安享自在，富亦不骄，穷亦不躁。让我们来看战国时颜蠋的故事。颜蠋是齐国的隐士，颇有才能，却不愿从政。恰逢齐王收罗人才，请他出山，并表示优待他，吃饭必有牛、羊、猪肉，出门必乘坐马车，妻子儿女都能衣着锦绣，尽享荣华。颜蠋不为所动，坚决拒绝说："玉石本在山上，制成玉器后，不是不宝贵，可它就不再是未经雕琢的玉了；士生长于平民百姓之中，推选他做了官，不是不尊贵，可从此以后他就形神不全了。我情愿粗衣鄙食，安步当车，把没有罪过当作富贵，以清净贞正而自乐。"

安礼章第六

注曰："言安而履之为礼。"

【释评】

"礼"即"理"，是为人处世的规则。每个人在做人与做事方面都应该遵循一定的准则，而这个准则是原则性的东西，是对人们道德上的指引。世界上的每一件事都有它自身的规律，只有按照原则办事，按照规矩做事，事情的正常进行才会有保证。

【原典】怨在不舍小过，患在不豫定谋。福在积善，祸在积恶。

注曰："善积则致于福，恶积则致于祸；无善无恶，则亦无祸无福矣。"

【译文】

怨恨之所以产生，是因为放不下小过错；祸患之所以产生，是因为没有事先仔细谋划。幸福的产生，在于平日积德行善；灾祸的根源，在于多行不义。

【释评】

人非圣贤，孰能无过。宋代文士袁采说过："圣贤犹不能无过，况人非圣贤，安得每事尽善？"人与人之间相互往来，不可避免地会出现或大或小的错误，这个时候不要动不动就横加指责，大声呵斥，甚至恨不得将其置于走投无路的境地才罢休，这种偏激的做法，既惹急了别人，对自己也绝对没有好处。对于这一点，黄石公早在两千多年前就对我们提出了告诫，他说："怨在不舍小过。"很多时候，别人对我们产生仇恨心理并不是因为我们得罪了他们，而是我们对他人的小过不怀宽容之心。

相反，要是我们在人际交往中，以善良、仁爱的心对待一切，宽以待人，得饶人处且饶人，就能获得好人缘。给他人留一点余地，也是在为自己筑一条坦途。

谢安在做宰相之前曾陪伴哥哥去打仗。他发觉哥哥非常不会做人，哥哥作为主帅，每天只知道吟诗作赋，不与将士交流，甚至还会侮辱众人，惹得将士们怨声载道。于是他广施钱财，和军队里的将领们结交。后来军士们在败军之际乘机哗变，要杀谢安和他哥哥，众将领想到谢安平时为人甚好，于是纷纷为他求情，使他躲过了此劫。

在日常交往活动中，若是对方未能满足自己的要求，或是有什么过错，我们都不应该耿耿于怀，怀恨在心。因为怨恨不但会加深彼此的误会，而且还会扰乱我们的正常思维，引起急躁、偏激的情绪。所以说，彼此的交往是缘分，不必计较太多，也不必苛求对方尽善尽美，多一些宽容和体谅，得饶人处且饶人，那么，彼此之间一切不愉快都会迎刃而解。

同样，有些人在手握关卡的时候，总是一副"天下之大，舍我其谁"的架势，对于别人的请求，甚至哀告，置之不理，不屑一顾。其实与人方便就是与己方便，在人生中，将别人渴望的东西主动送上门去，能免愤恨、得感激，为自己赢得一份宝贵的人情，给自己以后的人生留下余地。因为世事艰险，谁也说不准会遇到什么天灾人祸，如果不注意在人生的点滴处留人情，无形中就会给自己埋下不少可怕的定时炸弹，而如果得饶人处且饶人，适当地网开一面，也许就能在无形中消除很多危险。

西方古语说："原谅你的仇敌。"这并非仅仅是道德说教，还是经验之谈。原谅仇敌，不但可以显示自己的宽宏大量，还可能因此得到对方回赠的好处。在生活中，尽量与人为善，把对手也变成朋友，这样我们的人生才会走向开阔。

【原典】饥在贱农，寒在惰织。安在得人，危在失士。富在迎来，贫在弃时。

注曰："唐尧之节俭，李悝（克）之尽地利，越王勾践之十年生聚，汉之平准，皆所以迎来之术也。"

【译文】

饥荒之所以产生，是因为不重视农业生产；挨冷受冻，是因为怠于桑蚕之业；社会安定在于得到人心，社会危乱是因为人才流失；富贵在于招来远客，贫穷则是因为废弃农时。

【释评】

如果国家要富强，就要增产节约，生聚有方，而一个人要摆脱贫穷就要从勤奋节俭做起。黄石公所说的"富在迎来，贫在弃时"就是教导人们，富起于勤俭，谨身节用才是生财之道；而贫则是由于怠惰，不务其本。

有这样一个故事：一个富人见一个穷人很可怜，发善心愿意帮他致富。富人送给穷人一头牛，嘱咐他好好开荒，等春天来了撒上种子，秋天就可以远离贫穷了。穷人满怀希望开始开荒，可是没过几天，牛要吃草，人要吃饭，日子比过去还难。穷人就想，不如把牛卖了，买几只羊，先杀一只吃，剩下的还可以生小羊，长大了拿去卖，赚更多的钱。

穷人说干就干，只是当他吃了一只羊之后，小羊迟迟没有生下来，日子又艰难了，他忍不住又吃了一只。穷人想，这样下去还得了，不如把羊卖了，买成鸡，鸡生蛋的速度要快一些，卖掉鸡蛋可以赚钱，日子立刻可以好转。

穷人很快便将羊换成了鸡，但是日子并没有改变，他又忍不住杀鸡。终于杀到只剩一只鸡了，穷人想致富是无望了，还不如把鸡卖了，打一壶酒，三杯下肚，万事不愁。

很快春天来了，发善心的富人兴致勃勃地送来种子，赫然发现，穷人正就着咸菜喝酒，牛早就没有了，他依然一贫如洗。穷人如果节俭一点，熬过一段时间，等粮食收获以后他就能渡过难关，摆脱贫穷。

有人说，人间真正的幸福莫过于用自己的力量取得所有的成功。因为凡事只有先通过自己的主观努力，拼搏一番，才能在实践中不断得到锻炼和提高，不断积累经验、总结教训，才能逐步培养出坚强的自信心和坚忍不拔的意志品格。当然如果一个人很懒惰，那也就意味着他已经远离了幸福。比如农业生产，不误农时才有收获，如果懒惰拖沓，延误了春种的时机，又如何会有秋收？

人要靠双手为自己赢得自由和尊重。懒惰者终将一事无成，幸福会像害怕瘟疫一样害怕懒惰。因为不劳而获这种好事情，不会在你身上出现，上帝不会为一个懒蛋打开另外一扇门。

那些思想贫乏的人、愚蠢的人和慵懒怠惰的人只注重事物的表象，无法看透事物的本质。他们只相信运气、机缘、天命之类的东西。看到人家发财了，他们就说："那是幸运！"看到他人知识渊博、聪明机智，他们就说："那是天分。"发现有人德高望重、影响力大，他们就说："那是机缘。"

他们不曾亲眼看见那些人在实现理想过程中经受的考验与挫折。任何人都要经过不懈努力才能有所收获。收获的成果取决于这个人努力的程度，没有机缘巧合的事存在。

懒惰之人的一个重要特征就是拖沓。对一位渴望成功的人来说，拖延最具破坏性，也是最危险的恶习，它会使人丧失进取心。

拖沓是因为人的惰性在作怪，每当自己要付出劳动时，或要做出抉择时，我们总会为自己找出一些借口来安慰自己，总想让自己轻松些、舒服些。有些人能在瞬间果断地战胜惰性，积极主动地面对挑战；有些人却深陷"激战"泥潭，被主动和惰性拉来拉去，不知所措，无法定夺……时间就这样一分一秒地浪费了。

如果我们认准了一项工作，那么我们就要立即行动，因为世界上有百分之九十三的人都因拖延懒惰而一事无成，一日有一日的理想和决断，昨日有昨日的事，今日有今日的事，明日有明日的事。对有些人来说时间是金钱，对有些人来说时间是废品，一百次的胡思乱想抵不上一次的行动。当我们有一大发现无聊伴随我们左右，人们对自己失去了信心，对自己的毅力也产生了动摇。可想而知，在那种没有目标的日子里，有一个最重要的东西流失了，那就是幸福。

【原典】上无常操，下多疑心。

注曰："躁静无常，喜怒不节，群情猜疑，莫能自安。"

【译文】

领导者言行不一，反复无常，则属下必心生疑虑。

【释评】

马基亚维利说："一个君主如果被人认为变幻无常、轻率浅薄，就会受到轻视。"换作黄石公的话说，就是"上无常操，下多疑心"。为官之道以沉稳为先，决策政令不可冲动，而一旦做出决定就必须言出必行，稳定自己的立场。

唐初，大理寺是全国的最高法院，审判来自各地的疑难、死刑以及京官的犯法案件。大理寺不仅有审批权，而且还有否决权，有权驳回审判不当的案件。它的职责是重大的，唐太宗从慎刑原则出发，确立了“大理之职，人命所悬，当须妙选”的标准。

贞观元年（627），唐太宗任命戴胄为大理寺少卿。当时朝廷亟须人才，个别士人为了求个官职，不免弄虚作假，谎称“高学历”。后来有一人的身份识破，唐太宗于是下了一道“令其自首，不首者罪至于死”的圣旨。即便如此，还是有人顶风作案。应选的柳雄隐瞒了伪造的资历，事后查获，按照皇上旨意要处死柳雄，但是“明习律令”的戴胄据法断为流放。

唐太宗质问戴胄说：“朕已下过不自首则处死刑的敕令，你戴胄不是不知道，为什么断为流放，是想让天下人知道我言而无信吗？”戴胄反驳说：“陛下有至高无上的大权，但既然此案已经交付法司审理，我们就要忠于法律，臣不敢亏法。”当时《唐律》尚未颁布，依据《武德律》的诈伪律条文来量刑，只能判处徒刑，流放已经是看在“严打”的面子上重判了，断不到判处死刑的地步。“不首者罪至于死”，显然是唐太宗盛怒之下的旨意，不符合成文法律的规定。

戴胄说君主要立信，国法也要立信，而且国法比圣旨的立信更重要，是“立大信”，于是他谈了立法与立信的关系。国家立法的目的在于司法，才能取信于天下，君主切不可以一时的感情冲动之言，取代国法，否则就会失“大信”。

余怒未消的唐太宗还想拿“取信于民”说事，但是听到戴胄一番“小信”与“大信”的言论，也很快意识到自己是一时冲动。虽然已经亮出君命一言九鼎的底牌，但是他还是收回成命，以法断流。

对领导者来说，最大的威胁莫过于自己权力和威信的动摇。这件事情发生在唐太宗上任之初，他还在树立威信的时候。戴胄坚持和他唱对台戏，一般人是不能容忍的。但是唐太宗接受了正确的建议，这样不仅没有抹杀他的威信，反而让其他人看到了他诚心纳谏的行动，鼓励了更多人提出有价值的看法。

领导者的朝令夕改、出尔反尔是最大的不守信。此外，领导者若是三令五申，也属于无信，而且还会暴露其无能，因此领导者要慎重于“言”。只有慎“言”、贵“言”才能树立起自身的权威，以高尚的人格魅力彰显领袖风范。

【原典】轻上生罪，侮下无亲。近臣不重，远臣轻之。

注曰：“轻上无礼，侮下无恩。淮南王言：去平津侯如发蒙耳。”

【译文】

怠慢长官，必将获罪，侮辱属下，则将失去亲信；亲近的大臣如果得不到重用，则其他关系疏远的大臣也将轻视主上。

【释评】

“凡人臣图功易，成功难；成功易，守功难；守功易，终功难。……若倚功造过，必致反恩为仇，此从来人情常有者。”这是年羹尧在雍正二年（1724）第二次进京陛见结束回任后，接到的雍正谕旨。在这个朱谕中，雍正改变了过去嘉奖称赞的语调，警告他要慎重自持，此后年羹尧的处境便急转直下。

但是在此前，雍正对年羹尧宠信非常，并希望他们彼此做个千古君臣知遇的榜样。他曾经亲口对年羹尧说：“朕不为出色的皇帝，不能酬赏尔之待朕；尔不为超群之大臣，不能答应朕之知遇。”这番恩宠已经超出君臣之一般意义上的知遇之恩，实乃一生之知己。

可是，雍正既然曾对年羹尧有如此的礼遇之恩，因何会突然说出那样的话？只因年羹尧居功自傲，犯了“轻上”与“侮下”的错。黄石公在《素书》中说得明白：“轻上生罪，侮下无亲。”

年羹尧兼具文治武功，康熙在位时他便颇受赏识，被任命为川陕总督，成为西陲的重臣要员。雍正即位之后，年羹尧更是备受倚重，和隆科多成为雍正的左膀右臂。

然而自恃功高、春风得意的年羹尧渐渐地陶醉于这种无以复加的优越中，以致超越了本应恪守的为臣之义，骄横跋扈日甚一日。他在官场往来中趾高气扬、气势凌人：赠送给属下官员物件，令“北向叩头谢恩”；发给总督、将军的文书，本属平行公文，却擅称“令谕”，把同官视为下属，引起很多人的不满。

在文武官员的选任上，凡是年羹尧所保举之人，吏、兵二部一律优先录用，号称“年选”。他还排斥异己，贪赃受贿、侵吞钱粮累计达数百万两之多。

年羹尧的种种倒行逆施，渐渐引起了雍正帝的猜忌和厌烦。

年羹尧的失宠始于雍正二年十月第二次进京陛见。在赴京途中，他令都统范时捷、直隶总督李维钧等跪道迎送；而他到京后，对那些本为同级却要跪迎的官员们看都不看一眼。更要命的是，他在雍正面前，态度竟也十分骄横，无人臣礼。年羹尧进京后不久，雍正奖赏军功，京中传言是接受了年羹尧的请求，又说整治阿灵阿（皇八子胤禩集团的成员）等人也是听了年羹尧的话。这些似有似无的传言大大刺伤了雍正的自尊心。

年羹尧结束陛见回任后，马上就接到了雍正的谕旨，其中便有上文所举之语。

年羹尧居一人之下，万人之上，对待臣主不知尊重感恩，反而恃宠而骄，这直接导致了他与雍正关系的恶化；而他对待下级官员与同级臣僚的轻蔑态度，同样引起了他们的强烈不满。如此一来，年羹尧在朝中便再无亲近之人。于是，对年羹尧早就心怀不满的内外官员看清形势后，纷纷揭发其罪状。

朝廷议政大臣向雍正提交审判结果，竟给年羹尧开列了九十二款大罪，请求立正典刑。其罪状分别是：大逆罪五条，欺罔罪九条，僭越罪十六条，狂悖罪十三条，专擅罪六条，忌刻罪六条，残忍罪四条，贪婪罪十八条，侵蚀罪十五条。

雍正以服从群臣所请为名，尽削年羹尧官职，并下令捉拿年羹尧押送北京会审。但念及年羹尧功勋卓著，如果对其加以刑诛，恐怕天下人心不服，自己也难免要背上心狠手辣、杀戮功臣的恶名，于是雍正表示开恩，赐其狱中自裁。年羹尧父兄族中任官者俱革职，嫡亲子孙发遣边地充军，家产抄没。叱咤一时的年大将军以身败名裂、家破人亡告终。

年羹尧曾经可算是一人之下，万人之上，但他恃功骄纵，对上忤逆君臣之义，对下轻蔑侮辱，有失人主之德。家破人亡的结局对他而言是必然的。由此可见，对于“二把手”而言，上司要敬，下属要养。

上司若有欠缺，二把手当辅助他改正，鞠躬尽瘁；对待下属，则要尽力帮他建功，多提携多磨炼他。如果下属有了过失，二把手则要主动替他承担，有功时也不要总是往自己身上揽。不贪功，不诿过，行事周全；最后，二把手还要将劳动成果与人分享，不争利。总之，谦冲自牧是当二把手应有的风范。

当然，对上司尊重不是无原则地讨好、献媚，奉承会让上司放松自律之念，滋生骄傲情绪，也会让整个集体弥漫着一股不正之风。当上司有这样或那样的不足时，二把手要掌握分寸，巧妙地提醒、善意地规劝。做一个好的下属，对上司应该是敬而不谀。

【原典】自疑不信人，自信不疑人。

注曰：“暗也。明也。”

【译文】

对自己都疑神疑鬼的人，绝不会相信别人；有自信的人，绝不会轻易怀疑别人。

【释评】

在黄石公看来，多疑与猜忌是为人之大忌。因此，他提出“自疑不信人，自信不疑人”的观点。王氏在点评时说：“自起疑心，不信忠直良言，是为昏暗。”不管是夫妻之间、长幼之间、上下之间、朋友之间，多疑与猜忌都会让人们之间的关系变得疏远。带团队做大事的人尤其要注意，领导多疑会使队伍涣散。明朝崇祯皇帝就是这样一个反面典型。

《三垣笔记》中记载了一件事，充分暴露了崇祯的多疑。

崇祯有一天在宫里无意中听到自己最宠爱的田贵妃在独自抚琴，心中十分怀疑，便询问贵妃的琴艺师从何处，贵妃说是母亲自幼教授的。第二天，崇祯立马将贵妃的母亲召入宫中，田母与贵妃对弹，崇祯才作罢。

崇祯对于自己的后宫宠妃尚且如此猜忌，对于手下的朝廷重臣、封疆大吏便可想而知了。

他在位十七年中，频繁更替阁部臣僚，多次诛杀督抚大吏，其中总督七人，巡抚十一人。内阁重臣更是频繁替换，先后用了近五十人，也出现了“崇祯五十相”这样一个历史名词。由此可见崇祯用人多疑，举措乖张，有恩不欲归下，有过全盘推脱。

袁崇焕一案更是崇祯自毁长城之举。崇祯三年（1630），镇守边关的辽东巡抚袁崇焕被以“谋叛”大罪论死，随着刑场上的千刀万剐，大明江山也随即支离破碎。“自崇焕死，边事益无人，明亡征决矣”。

崇祯的多疑与偏执使得他对于朝臣的态度复杂多变。对身担重责的大臣，崇祯通常是先寄予极大的，甚至是超出实际的期望，一旦令其失望，又一变而为切齿愤恨，必杀之而后快。崇祯以唯才是用为标准，但讽刺的是，居然满朝无可撑局面之人。

多疑是一个领袖最不应该有的气质，因为多疑势必会导致对别人的猜忌，而猜忌往往会伤害别人。人与人之间，怀疑和不信任会让人们之间的关系变得疏远。领导多疑则队伍涣散，而领导性格豪爽、光明磊落则会赢得更多人的信赖。所以真正有智慧的人，作为领导常是光明磊落的，即使有所疑虑，也不至于极端行事；而作为下属则应该努力低调，积极避嫌，这并不是妥协，而是存身之道。

【原典】枉士无正友，曲上无直下。

注曰：“李逢吉之友，则‘八关’‘十六子’之徒是也。元帝之臣则弘恭、石显是也。”

【译文】

奸邪之人必无正直朋友，人品不端的上司也不会有刚正不阿的下属。

【释评】

黄石公在《素书》中说：“正己而化人者顺。”领导者若想真正得到下属的拥护和认可，赢得下属的心，就必须脚踏实地身体力行。“正己”直接决定着一个领导者的威严在多大程度上被认可。如果说“正人”是领导者不可忽视的管理环节，那么“正己”就是一个前提，因为“枉士无正友，曲上无直下”。就好像一个品行不端的人不会有正直的朋友一样，一个不正直的领导者也不会带出刚直的下属，自己不守纲纪的领导，亦无法要求下属敬忠守法。历史上有许多出色的帝王深谙此理，赵匡胤即是其中之一。

《资治通鉴》说：“人之慕名，好比水向下流，上面怎么做，下面就会怎么行。”行伍出身的赵匡胤，经历了诸方争伐的混乱动荡局面，深知“以身作则”的奥妙。所以这位欲有所建树的皇帝，把节俭定为治国方略，以身作则，事事为臣吏做表率。

一次，有人将蜀主孟昶用七彩宝石装饰的夜壶送给赵匡胤，赵匡胤很生气地将壶摔在地上说：“用七彩宝石装饰一个夜壶，那该用什么东西来盛食物？像孟昶这样奢侈腐化，怎么可能不亡国呢？”

赵匡胤十分注重国计民生，他将平日的开销降到最低，衣服经常是补后再穿，所用的乘舆都很简朴，寝宫中的帷帘都是只用青布包边，宫中帷幕也与普通百姓家的无两样。赵匡胤为了让从简之风日盛，还经常把布衣等物赐给左右近侍。

赵匡胤不仅以身作则，力行节俭，而且严格要求家人不可奢华。一次，赵匡胤的姐姐魏国长公主穿了一件翠鸟羽毛做装饰的短上衣入宫觐见皇帝，赵匡胤见到后，很不高兴。他对公主说：“回去后把它束之高阁，别再穿了，从今以后，不要用翠鸟羽毛做装饰了。”公主笑说：“这有什么了不起，一件衣服能用去几根翠鸟羽毛？”赵匡胤正色说道：“此言差矣，你穿这样的衣服，宫中其他妇人必定会争相效仿，这样一来，京城翠鸟羽毛价格便会上涨了，百姓见有利可图，便会大肆捕杀，那要杀伤多少翠鸟呀。你难道不觉得自己有错吗？”

还有一次，赵匡胤和宋皇后谈起节俭之道。赵匡胤说：“我大宋富有天下，即使宫殿全用金银来装饰，也不难办到，但既为人君，就要为天下百姓着想，国家的钱财怎可以乱用呢？古人说以一人治天下，怎可以天下奉一人呢？如果全为自己考虑，奢侈无度，那么黎民又该怎么办呢？我还怎么去向他们传达命令，获得天下民心呢？”

子曰：“其身正，不令而行；其身不正，虽令不从。”“苟正其身矣，于从政乎何有？不能正其身，如正人何！”一个领导者只有端正自身，做到以理服人而不是以权压人，管理工作才能顺利进行，但令人遗憾的是，很多领导者费尽心机制定出若干规章制度，要求员工去遵守，却使自己游离于这些制度之外，这样的领导人“释己而教人”，就算他有权威，也很难令下属服从。

行动比诺言更动听，身教比言教更有效。领导者只有先正己，以身作则，才具有较大的说服力和影响力，才能顺利赢得人心，使下属自觉地跟着自己走。榜样的力量是无穷的。修身、齐家、治国、平天下，其中修身正己是首要的。赵匡胤明白这个道理，所以在日常生活中他处处注重率先垂范，因此开创了宋代太平盛世。

【原典】危国无贤人，乱政无善人。

注曰：“非无贤人、善人，不能用故也。”

【译文】

危机四伏、行将灭亡的国家，找不到贤明之人辅政，朝纲混乱、民心浮动的朝廷也无善人加入。

【释评】

从“危国无贤人，乱政无善人”一句中我们可以得知，在一个混乱、动荡的国家中，出于形势所迫，人人力求自保因时而动，就不会产生所谓的贤善之人。因此，对于企业或团队来说，大氛围不论是对公司还是对人才的发展都至关重要。

尽管可能企业的领导者听不到，但是员工之间或者员工与他的朋友之间一定会这样谈论，“我们领导高瞻远瞩，总是比同行多看到好几步棋，能加入他的团队中我感到很自豪”，“我们领导事必躬亲，下属凡事都要请示、汇报，工作效率低，员工士气低落”，“我们头儿给我们分配任务时，常常让我们感到无所适从”，等等。其实他们议论的不是领导，而是他们的工作氛围。

工作氛围是在员工之间的不断交流和互动中形成的，没有人与人之间的互动，氛围也就无从谈起。制度在这方面所能起到的作用有限，最多也不过是起到最基本的保障作用。更重要的是因为制度不能够得到很好的执行，这就要求充分发挥人的作用。人是环境中最重要的因素，好的工作氛围是由人创造的。尤其是领导，领导者的个人风格很大程度影响着团队氛围、工作氛围。

现在的员工越来越看重工作氛围。孟子曰：“天时不如地利，地利不如人和。”人和，亦即良好的人际关系和工作氛围。可以这样讲，良好的工作氛围，既是一种条件，也是一种待遇。没有这个条件，人才不来；没有这种待遇，人才也不来。

一家大型网络公司合并到新公司了，引起了业界人士的关注。然而，在这家著名网络公司工作的一位中层经理出人意料地说了这样的话：“我们最关心的是在进入新公司后，是否能有原来的工作氛围。”可见，工作氛围对于现代从业者而言是多么重要的事情。

研究表明，领导者的不同领导艺术会营造出不同的工作氛围，而工作氛围又最终影响到组织的绩效。有统计数字显示，影响组织成功主要有四个关键因素，分别是个人素质、职位素质要求、管理风格、工作氛围。其中，工作氛围对组织绩效的影响程度达35%，而管理风格对工作氛围的影响度高达72%。

可见，积极营造良好的工作氛围是成功领导者的一个必备能力。其实，建立良好的工作氛围，不仅是领导者领导能力的体现，更是成功企业的内在必然要求。

【原典】爱人深者求贤急，乐得贤者养人厚。

注曰："人不能自爱，待贤而爱之；人不能自养，待贤而养之。"

【译文】

爱惜别人的人，一定求才若渴，若己乐得贤才，则必定不吝惜钱财，给予其丰厚的待遇。

【释评】

朱元璋曾说："予思英贤，有如饥渴。"的确，"爱人深者求贤急"，只有真正爱惜人才的人才会求贤若渴。而真正爱惜人才的人能够做到礼贤下士，尊重人才，厚待人才。历史上有很多求贤若渴的人物，其中曹操就是一例。

曹操为了实现一统天下的大志，曾连续下达三道求贤令，公开向天下招纳贤士。这三道求贤令明白告诉世人：无论你是否有过"讦辱之名""见笑之耻"，即使你有过如"贪将吴起"那种"杀妻取信""母死不归"的大恶行径，只要你有才，仍将得到重用。曹操对负责举荐官员的部下所提的要求是：各举所知，勿有所遗。

另外，曹操一反东汉时征辟察举注重名节德行、家世声望的陈规陋习，认为只要有真才实学，什么人都可以用。曹操的兵将大都来自扬州的丹阳、兖州的泰山以及河北的并、冀两州，因有强大的战斗力而声名远播。他唯才是举，多次发布求贤诏令，强调要选拔那些有治国用兵之术的将才，即使他们有"侮辱之名""见笑之行"也不介意。对于一些带领众人前来投奔的豪门望族，他也极力笼络，封其适当的官职。再者，他又不完全否定门第德行标准，很重视对名士的争取。对于一些不忠诚可靠的部下，他一经发觉，立即会毫不留情地将其清除。因此，最终他"天下忠正效实之士咸愿为用"，手下人才济济。

曹操不仅唯才是举，而且还能礼贤下士，对于真正的人才他会真诚相邀。荀彧就是一个例子。

一次，曹操前往泰山庙拜访高僧，请高僧向自己推荐几位贤能之才。高僧给了曹操一个小锦囊，告知他若遇到一位胆敢辱骂他的人，即时打开锦囊便知。其后，曹操率大军攻入中原，所到之处，鸡犬不宁。进许昌后，曹操之弟曹仁带着士兵四下抢夺，弄得许昌百姓惶惶不安。这样几天后，四个城门上忽然都贴出一张帖子，上边写着："曹操到许昌，百姓遭了殃；若弃安抚事，汉朝难安邦。"落款是"许昌荀彧"。曹操看到帖子后，无比气愤，正想下令捉拿这个胆大包天之徒时，猛然想起高僧的锦囊来。曹操忙打开来看，只见上面写着这样一首诗："开口就晌午，日落扁月上。十天头长草，或字三撇旁。才过昔子牙，谋深似子房。"很明显，这是一首藏意诗。曹操忙请来身边诸位谋士，共同解读其中含义，折腾了半天才明白六句诗中隐含了这样四个字：许昌荀彧。曹操读后，恍然醒悟，急忙派人请荀彧至自己帐中。

原来，荀彧因不满当朝昏庸无道，一直隐居于许昌。后闻曹操有勇有谋，又爱惜人才，想投奔曹操，又不放心，于是写了这张帖子来试探一番，今见曹操特意派人来请，心里高兴，但为考察曹操是否真心，便故意拒门不出。是时正值寒冬腊月，天气冰寒，遭拒后，曹操没有生气，反而不顾严寒，亲自拜访荀彧，但两次都败兴而归。对于两访不遇，曹操并没有生气，仍耐心求访。

后来，曹操听说荀彧前往祖坟扫墓，于是备下厚礼，前往凭吊。曹操来到坟前，看见一个年轻少年，仪表堂堂，正专心致志阅读《孙子兵法》，头也不抬。忽然一阵风起，把书吹落在地。曹操急忙上前帮忙捡起并恭恭敬敬地递上。对此，荀彧却置之不理，只大声喝问来者何人。曹操说："我是曹孟德，今天特意来请荀公帮忙开创汉室江山。"没想到，荀彧却十分冷漠地回绝了曹操。曹操赔笑说："久闻先生足智多谋，今日请不得先生，我不归。"荀彧又推说腿有毛病，行动不便。曹操便亲自牵来自己的马，扶荀彧骑上，迎入景福殿中。

诸葛亮说："曹操比于袁绍，则名微而众寡，然操遂能克绍，以弱胜强者，非唯天时，抑亦人谋也。"曹操能成大事的条件之一，就是他有着"任天下之智力，争众才之归心"的博大胸怀。老子说："上善若水。"水的最大长处是"善下之"，善下则百川汇集。

【原典】国将霸者士皆归，邦将亡者贤先避。

注曰："赵杀鸣犊，故夫子临河而返。若微子去商，仲尼去鲁是也。"

【译文】

国家即将称霸四方，各地有才能的人都会前来归顺；国家即将灭亡，贤能的人将首先隐退。

【释评】

众所周知，如果一个国家有走向富强的趋势，那么天下贤士就会竞相投奔；如果一个国家有政局动荡，民不聊生的趋势，那么人才就会避走他方。黄石公说这叫“国将霸者士皆归，邦将亡者贤先避”。这两句话实际上指明了人才流向的规律。的确，良禽择木而栖，水往低处流，人往高处走，入职场要从一开始就有长远的眼光，看准行业的发展形势，评估企业文化是否与自己的志向相符，这样才能开始你的成功人生。

章邯是秦朝的大将，对朝廷忠心耿耿，屡建奇功。

陈胜、吴广起义后，章邯受命讨伐。由于军力不足，章邯便把刑徒和官奴也组织起来，在他的调教下，这支拼凑起来的队伍也颇有战斗力。

章邯性情直率，不喜谄媚，他对当时掌控了朝政的权臣赵高也不逢迎，惹得赵高十分恼怒。

项羽崛起后，章邯和他交手多有败绩，他为此向朝廷频频告急，不想赵高为置其于死地，不仅不派兵援助，还把他的告急文书一律扣压，从不向秦二世禀报。章邯连连失败的消息，有一天终于传到秦二世耳朵里。秦二世身边的太监对秦二世说：“章将军勇冠三军，若他有失，秦国就危险了，陛下将怎样对待他呢？”秦二世怒不可遏，说道：“章邯深负皇恩，罪该万死，他还想活命吗？”

太监摇头说：“章将军如今已是败军之将，必心多惶恐，斗志有失。陛下既依靠他杀敌保国，就不能任性责罚他了，否则他惧祸投敌，陛下岂不更加危险？陛下若能忍下气来，略为抚恤，章邯不见陛下怪罪，他定能定下心神，再为秦国建功了。”

秦二世于是再找赵高议论此事，赵高故作惊讶地说：“章邯此人自高自大，向来不把朝廷放在眼里，这样的人不加责罚，哪能显出陛下的天威呢？”

秦二世又要下诏指责章邯，有的大臣上奏说：“时下国家危难之秋，章邯实在是不可多得之良将，这个时候不求全责备，对谁都有好处。一旦诏书降下，万一章邯投敌，陛下岂不得不偿失？”

赵高在旁阴声道：“皇上赏功罚罪，理所应该，章邯若心怀异志，正好可将他除去。他若为忠，又怎会因皇上责罚而叛敌呢？”

秦二世于是下诏，对章邯大加指责，言辞甚厉。章邯接诏，又气又怕，一时六神无主。长史司马欣前去咸阳替他探听消息。他从别人口中知晓其中的缘故，于是赶紧返回对章邯说：“赵高对将军有心排斥，看来无论你有功无功，都不免遭他陷害了。”

章邯大吃一惊，情绪更加低落。

值此时刻，赵将陈余派人送书前来，劝他反叛秦国，信中说：“白起、蒙恬都是秦国的大功臣，可他们的下场却是被赐死。将军为秦卖命奋战，到头来却为赵高陷害、昏君猜忌，其命运也就可想而知了。天意亡秦，如将军认清形势，反戈一击，不但无有灾祸，还有除暴济世之大名，何乐而不为呢？”

章邯见信落泪，久不作声，司马欣长叹一声，说：“皇上不识奸佞，反责忠臣，这不是将军欲反，而是不得不反啊。”

于是，章邯向项羽投降。

良禽择木而栖，识时务者为俊杰，章邯的反叛加速了秦朝的灭亡和一个开明王朝的到来。择主依时而变，不但顺应事理，而且对己有利，这是两全其美的事，任何明智的人在必要时都应做出这样理智的选择。入对行，选对追随的领导是我们寻求更好发展平台的途径之一。因此在入行之前要做好充分的准备，整合行业、公司、员工等多方面的信息，判断行业综合实力对自己是否有利，是否能使自己得到更好的发展。

【原典】地薄者大物不产，水浅者大鱼不游。树秃者大禽不栖，林疏者大兽不居。

注曰："此四者，以明人之浅则无道德；国之浅则无忠贤也。"

【译文】

土地贫瘠的地方，产不了宝物；水浅的地方，大鱼都不游过来；光秃的树木，大的禽物不愿在上面栖息；稀疏的树林，大的野兽都不在其间居住。

【释评】

"地薄者，大物不产；水浅者，大鱼不游。树秃者，大禽不栖；林疏者，大兽不居。"黄石公在这里用四种自然现象作比，为我们揭示了企业大环境与人才流失的关系。一个企业要吸引人才，留住人才，就要为人才提供一个良好的舞台，就像土地贫瘠的地方，产不了宝物，水浅的地方，大鱼都不游过来，光秃的树木，大的禽物不愿在上面栖息，稀疏的树林，大的野兽都不在其间居住一样，一个企业如果没有好的大环境，人才就不会凝聚，试问贤才如何愿意在危乱之所流连？

近年来，世界各国的大企业都在完善企业自身的聘用机制，以求吸引到更多才华横溢、雄心勃勃的人才。但即便如此，仍有许多人才悄然而去。许多企业发现吸引人才越来越难，因为人才的流动已成为当今时代的一大潮流，进入企业的人流似乎永远比不上流出企业的人流。

许多企业一边不断地翻新招聘花样来引起求职者注意，一边却听任人才大量流失。持续不断地大量招聘人才，常使企业疲于奔命，甚至出现企业效益下滑的情况。管理者们估计，考虑所有因素，替换新员工的成本甚至高达辞职者工资的150%。而且，替换新员工的成本还不仅限于此，知识也是一种资产，知识型人才的流失对企业造成的影响可能无法预计。那么企业该怎样留住真正的人才？

人才如果对工作失去了兴趣，单靠金钱是留不住的，还应增加员工对工作的满意度、对集体的归属感和为其提供个人发展的机会。

每个人都是平等的，即便有高下之分，也是因为品德、能力，而非职位，如果管理者能有发自内心的平等意识，真诚地对待每一个人，那么员工必定会受其感动，全身心地投入工作中去。

【原典】山峭者崩，泽满者溢。

注曰："此二者，明过高、过满之戒也。"

【译文】

山势过于陡峭，则容易崩塌；水泽蓄水过满，则会漫溢出来。

【释评】

山因势高而峻，川因水满而秀。人生在世，当有所追求，不断地朝完美前进，方不辜负大好光阴。但是，生活有时需要前进，有时却需要后退。前进和后退，就如同加法和减法一样。很多人在追逐名利、追求富贵的加法中，忽视了减法。名利越盛而不知退一步以更好地立世，最终应了《素书》中的那句："山峭者崩，泽满者溢。"

"减法"与"加法"相比，能令人身心清静。所以，人要学会满足，时时给生活减负，这样才能持守既有的富贵平安。范蠡当年急流勇退隐姓归野后，十九年间三次赚了千金之多，三聚三散，置千金之产五次，这才是真正的“减法”的智慧。

汉高祖时，吕后采用萧何之计，诛杀了韩信。当时，正带兵征剿叛军的汉高祖刘邦闻讯，立即封萧何为相国，加赐五千户，再令五百士卒、一名都卫做护卫。百官都向萧何祝贺，唯陈平表示担心，暗地里对萧何说：“大祸由现在开始了。皇上在外作战，您掌管国政。您没有冒着箭雨滚石的危险，皇上却增加您的俸薪和护卫，这并非表示宠信。如今淮阴侯韩信谋反被诛，皇上心有余悸，他也有怀疑您的心理。我劝您辞封赏，拿所有家产去辅助作战，方才能打消皇上的疑虑。”萧何依计而行，变卖家产犒军。高祖果然大悦，疑虑顿减。

这年秋天，英布谋反，高祖御驾亲征，其间派遣使者数次问候萧何。回报说：“因为皇上在军中，相国鼓励百姓拿出家财辅助军队征战，正如上次所做。”这时有个门客对萧何说：“您不久就会被灭族了，您身居高位，功劳第一，便不可再得到皇上的恩宠。可是自您进入关中，一直得到百姓拥护，如今已有十多年了。皇上数次派人问及您原因，是害怕您受到关中百姓的拥戴。现在您为何不多买田地，少抚恤百姓，来自损名声呢？皇上必定会因此解除疑心的。”萧何认为有理，又依此计行事。高祖得胜回朝，有百姓拦路控诉相国。高祖不但没有生气，反而高兴异常，也没对萧何进行任何处分。

“一家富贵千家怨，半世功名百世愆。”在既有的富贵之中，如果不懂得自保自持，持富而骄，便会自招恶果，后患无穷。要想长保富贵光景，必须深知“揣而锐之”的不得当，以及“富贵而骄，自遣其咎”的可畏。因此，萧何在富贵与宠幸达到极致时，知时知量，散财自污，退步自污，如此自保。

说到萧何，当提到另一个人李斯。当初李斯贵为秦相时，“持而盈”，“揣而锐”，最后却以悲剧告终。临刑之时，李斯对其子说："吾欲与若复牵黄犬，出上蔡东门，逐狡兔，岂可得乎？"他临死才幡然醒悟，渴望返璞归真，在平淡生活中找寻幸福，但悔之晚矣。

进一步，容易；退一步，难。大多数人能成功，却不能全身而退；只有少数人看透功名实质，重视过程，淡看结果，终能功成身退。

就像老子所说的"无私乃大私也"。如果已有聪慧而不知谦虚涵容，已有权势而不知隐遁退让，已有财富而不知适可而止，如矢上加尖，山峭石崩，得不偿失。

【原典】弃玉取石者盲，羊质虎皮者柔。

注曰："有目与无目同。有表无里，与无表同。"

【译文】

弃美玉而取顽石者，犹如盲人一般。绵羊即使披上虎皮，也并不刚强。

【释评】

北魏节闵帝时期，尔朱荣把持朝政。贺欢以清君侧为名，带兵攻打尔朱荣，得了人心，聚集了力量，最后功成杀了尔朱荣一家。

尔朱荣的弟弟尔朱世隆在外省为将，招兵买马，准备报仇雪恨。他的一个部将叫房弼，时任青州刺史，是一员著名的猛将，对尔朱氏一家一向忠心耿耿。他招集部下，欲割手臂上的血为盟，以齐心协力、尽心尽力去帮助尔朱世隆。

都督冯绍基是房弼的助手，深得房弼的信任。他对房弼献计说："现在天下大乱，人心不齐，要表现真诚之心，如果冒着严寒，割心前之血为盟，岂不是更能得天下人之心？"房弼是个血性之人，将心比心，认为这个主意很好，就招集所有部下和当地老百姓，当着众人的面，在冰天雪地里，赤裸着上身，气壮声雄地叫冯绍基动手。冯绍基举刀割房弼胸前时，出乎意料地轻轻一推，就把房弼杀死了，然后带着人马投奔了节闵帝。

房弼对人判断不准，把奸贼当忠臣看，最后死于非命。一样米养百种人，世上有披着羊皮的狼，也有藏于石中的玉。然羊虽披虎皮，但终究是羊；弃玉而取石，为盲。因此，识人一定要戴上“透视镜”，看穿表面，才能分清眼前的人究竟是玉还是石，是羊还是虎。

要做到“眼亮”，首先要“心明”，要想“心明”，就要掌握人们言行的规律，谙熟这些规律，再结合实际情况进行分析，才有可能辨出真伪。言为心声，人们的言行都受心理活动的制约，能够表现出一定的本性和习惯。时刻关注下属的言谈举止，略一对照就可以看出狐狸的尾巴。

此外，需要注意的是经常恭维你的人，往往是有所图，不应被其表面的伪装所蒙蔽。在很多时候，有的人表现出一副忠厚老实的样子，其实这是一种伪装，这种人虽然很善于伪装自己，但往往包不住内心的虚伪。遇到这种假意奉承、勉强附和的人，千万不要被他的美言所迷惑。

要看懂他人的内在，就必须静观其所作所为，从他的一言一行中把握。但看人是一门高深的学问，正确了解、判断一个人，不能光凭言行的外在表现，还需从更细微处观察。

如经常摇头晃脑的人，总是特别自信，以致达到唯我独尊的程度。他们在社交场合很善于表现自己，却时常遭到别人的厌弃。他们也会请别人帮忙，但很多时候他们都不满意，因为他们有自己的一套办法，只是想从别人做事的过程中获取某种启示而已。

习惯边说边笑的人，大都性格开朗，对生活要求不太苛刻，知足常乐，而且富有人情味，无论走到什么地方，他们总会有极好的人缘。

经常抹嘴或捏鼻子的人，大都喜欢捉弄别人，却又不敢作敢当。这种人很容易被人支配，别人要他们做什么，他们可能就会做什么。他们喜欢哗众取宠，眼见你气得咬牙切齿，他们却在那儿高兴得手舞足蹈。

习惯走角落的人，十有八九属于自卑型，他们的性格大都有比较怪异的一面。如果说他无能，他绝对会做一件事给你看看；如果说他行，他却非常谦虚；大家都说某件事情不能做，他偏要去试试。

人们细微的言语举动从风吹草动中能发现制胜之机，从一举一动间也能察觉人心底的秘密。再细微的言语举动，也都是人内心世界的反映，只要用心去揣摩，用不了多长时间，便能发现对方的特性。

【原典】衣不举领者倒，走不视地者颠。

注曰："当上而下，当下而上。"

【译文】

拿衣服时不提领子，势必把衣服拿倒。走路不看地面，一定会跌倒。

【释评】

一件事情能不能办成，除了动手干、敢干，最重要的一点是懂得如何办。掌握办事的正确思路，才能够将事情办得顺利。在《素书》中，黄石公认为办事要避免两个错误，"衣不举领"和"走不视地"。前者指的是办事不抓重点，后者指心浮气躁，不能脚踏实地。

“衣不举领者倒”，也就是说提衣服只有提住领子才能顺当，如果抓着其他地方衣服就会倒。就好像抓住网纲撒网，网眼才能张开。做事情一定要抓主要矛盾，主要矛盾解决了，其他小矛盾便迎刃而解，这就是纲举目张。

庖丁解牛的故事相信许多人都耳熟能详。庖丁是一位技艺高超的厨师，他解牛的技术已经达到高深的境界。他下刀时顺着牛的肌肉的纹理，把大关节的地方解开，一头牛自然就解开了。

庖丁解牛的诀窍正是在关键处下功夫。从问题本身出发，抓住问题的关键一切自然也就迎刃而解了。小到提衣举领，大到做人、做事，道理都是一样的。解决问题的过程就是一个思考问题的过程，不要被问题的表面现象所迷惑，找到问题的关键所在，才能从根本上解决问题，切中肯綮，事半功倍。

《素书》还提到了做事的第二个重要原则——脚踏实地一步步积累。《道德经》有云：“合抱之木，生于毫末；九层之台，起于垒土；千里之行，始于足下。”意即，要众人合抱才能丈量的大树，是一寸寸慢慢长大的；九层的高台，是一层一层垒起来的；远行千里，是一步一步走出来的。人们常用老子的这句话来比喻事情的成功是由小而大逐渐积累的。相反，一味图快，躁进不耐烦，就好像“走不视地”一样，走路不看地，只顾抬头看天，哪有不摔倒的道理？

现代社会风气浮躁，不少人都在寻求成功的捷径，一行动起来，就尽可能地钻空子、占便宜，而不愿踏踏实实地按照正常的程序去做。这样做的结果不仅不能使人尽快成长，反而会使人丧失自我发展的可能。

当年子夏在莒父做地方官时曾向孔子问政。孔子提出为政要有远大的眼光，不要急功近利，不要想很快就能拿成果来表现，也不要为一些小利益花费太多心力，要顾全大局。在实现目标的过程中，必须调整好自己的心态，打消投机取巧的念头，从一点一滴的小事做起，在最基础的工作中，不断地提高自己的能力，才能为自己的职业生涯积累雄厚的实力，谋得长远的发展。

【原典】柱弱者屋坏，辅弱者国倾。

注曰："才不胜任谓之弱。"

【译文】

房屋梁柱软弱，屋子就会倒塌；辅助国政的大臣没有能力，国家将会倾覆。

【释评】

《素书》言："柱弱者屋坏，辅弱者国倾。"与此句意义相通的是《孙子兵法》中的："夫将者，国之辅也，辅周则国必强，辅隙则国必弱。"

国有国之辅臣，军有军之将帅，家有一家之主。他们所起的作用，就像柱子对于房屋的作用一样。如果柱子腐朽倾圮，屋子也必然会倒塌。如果他们素质不高，才智不周，国家、企业、团队就找不到正确的方向，甚至会使已经付出的努力付诸东流。因此，孙武在其兵法中明确提出："夫将者，国之辅也。"古代历史上，太平盛世必定有位贤明的丞相，战无不胜的队伍当中必定有指导有方的将军。

春秋战国时期，诸侯混战。赵国名将赵奢的儿子赵括，虽自幼熟读兵书，却因没有打仗经验，而被有心之人利用，取代了廉颇的位置，成为攻打秦国的将军。新官上任，赵括把兵书上的各种攻打计谋都罗列出来，最后选择将赵国的四十多万大军全部调出，想要一举攻秦。但对方是用兵如神的白起，因此最终赵括中计被杀，赵军被活埋，赵国从此走向衰弱。

赵括纸上谈兵拖累了整个赵国，足见将帅的重要性。身为将帅者，必须拥有相应的素质与风度，孙武对统领队伍者提出的要求是："将者，智、信、仁、勇、严也。"简言之，就是首先要保证自己是一个有修养的人。

节制，食不过饱，饮酒不醉；寡言，言必于人于己有益，避免空谈；生活有秩序，从而方便地进入状态；决心，即勇气；公正，永不忘记自己的责任和义务；适度，避免极端与不及；镇静，勿因任何事而惊慌失措。

其次是要成为一名自信的将帅，坚信自己的决断。人最大的弱点是缺乏自信。你可以依靠自我暗示的原则，将畏缩转化为勇气。这个原则的应用，可以用十分简单的安排来完成：把你积极的思想冲动写下来，并加以朗读记忆，反复背诵，直到它成为你潜意识中的一部分。

最后使用制度管人。没有完善的制度，或不善于运用制度，工作也就无法顺利开展。孙武曾对吴王说："令行禁止，赏罚分明，这是兵家的常法，为将治军的通则。对士卒一定要威严，只有这样，他们才会听从号令，打仗才能克敌制胜。"

作为辅臣、将帅，应十分注意制度的建设。制定出大家共同遵守和依据的工作准则，不仅保证了人们行动的正确规范，而且还有利于调动和发挥员工的积极性。

【原典】足寒伤心，人怨伤国。山将崩者下先隳，国将衰者人先弊。根枯枝朽，人困国残。

注曰："夫冲和之气生于足，而流于四肢，而心为之君，气和则天君乐，气乖则天君伤矣。自古及今，生齿富庶、人民康乐而国衰者，未之有也。长城之役兴，而秦国残矣！汴渠之役兴，而隋国残矣！"

【译文】

脚受寒，则心肺受损；人心生怨，则国家受损。山将崩，则土质先毁坏；国将亡，则人民先受其害。树根干枯，则枝叶腐朽，人民困苦，则国家残败。

【释评】

黄石公两千年前就提出了“足寒伤心，人怨伤国”的观点。人怨可伤国，就好像人的脚受了寒心肺会受损一样，如果一个国家的民怨极大而得不到疏解，那么国家就会产生动乱。这个道理放在现代化企业管理中，即是所谓的“霍桑效应”。

美国芝加哥郊外的霍桑工厂，是一个制造电话交换机的工厂。这个工厂建有较完善的娱乐设施、医疗制度和养老金制度等，但员工们仍愤愤不平，生产状况也很不理想。为探求原因，1924年11月，美国国家研究委员会组织了一个由各方面专家参与的研究小组，在该工厂开展了一系列的试验研究。这一系列试验研究的中心课题是生产效率与工作物质条件之间的关系。这一系列试验研究中有一个“谈话试验”，即用两年多的时间，专家们找工人个别谈话两万余人次，并规定在谈话过程中，要耐心倾听工人们对厂方的各种意见和不满，并详细记录，对工人的不满意见不准反驳和训斥。

这一“谈话试验”收到了意想不到的效果：霍桑工厂的产量大幅度提高。这是由于工人长期以来对工厂的各种管理制度有诸多不满，无处发泄，“谈话试验”使他们的这些不满都发泄出来，他们因此感到心情舒畅，干劲倍增。社会心理学家将这种奇妙的现象称为“霍桑效应”。

霍桑试验的初衷是试图通过改善工作条件与环境等外在因素，提高劳动生产效率。但是，通过试验，人们发现，影响生产效率的根本因素不是外因，而是内因，即工人自身。因此，要想提高生产效率，就要在激发员工积极性上下功夫。比如，设立“牢骚室”，让人们有宣泄自己抱怨和意见的通道，之后全身心地投入工作中。

日本的一些企业就在企业中设立了“特种员工室”。在“特种员工室”里陈设有经理、车间主管、班组长的人偶像及木棒数根，工人如果对某管理人员不满，就可以用木棒打自己所憎恨的人偶像，以泄愤懑。

近年来，法国还出现了一个新兴行业——运动消气中心，仅巴黎就有上百个。出此创意的人大都是学运动心理专业的，他们认为运动可以解决人们的心理问题，尤其是心情积郁等诸多问题。每个运动中心都聘请专业人士做教练，指导人们通过喊叫、扭毛巾、打枕头、捶沙发等行为进行发泄。也有的通过心理治疗，先找出“气源”，再用语言开导，并让“受训者”做大运动量的“消气操”。

【原典】与覆车同轨者倾，与亡国同事者灭。见已生者慎将生，恶其迹者须避之。

注曰：“汉武欲为秦皇之事，几至于倾；而能有终者，末年哀痛自悔也。桀纣以女色而亡，而幽王之褒姒同之。汉以阉宦亡，而唐之中尉同之。已生者，见而去之也；将生者，慎而消之也。恶其迹者，急履而恶踌，不若废履而无行。妄动而恶知，不若绌动而无为。”

【译文】

与倾覆的车走同一条轨道的车也会倾覆，与已经败亡的国家做相同的事，国家也将遭到灭亡。知道以前发生的不幸之事，应该警惕再次发生类似的事，厌恶前人有过的劣迹，就应当尽力避免重蹈覆辙。

【释评】

晚清名臣曾国藩在给弟弟曾国荃的信中说:“至阿兄忝窃高位,又窃虚名,时时有颠坠之虞。吾通阅古今人物,似此名位权势,能保全善终者极少。”曾国藩获得高位后不忘告诫家中之人,名位权势虽然是好事,但是能够保全善终的人太少了,一定要事事小心,处处小心,才不会从云端跌至地狱。这便是“见已失者,慎将失;恶其迹者,须避之”的意义所在。

做人应当坦坦荡荡,有了这份浩然之气,虽在逆境中依然可以从容处世,但是即便身处高位也别忘小心谨慎。理学大家朱熹在给陈亮的信中曾说:真正的大英雄,都是从战战兢兢、如临深渊中走出来的。洪应明在《菜根谭》中也说,思立掀天揭地的事功,须向薄冰上履过。这就是说,要成就大事业,必须像在冰上走路那样小心谨慎才行。小心谨慎才能使自己错得最少,如此,成功的可能性自然就更大。

立志要做大事业的曾国藩对此深有体会。他说:越走向高位,失败的可能性越大,而惨败的结局就越多。因为登高必然跌重,每升迁一次,就要以十倍于以前的谨慎心理来处理各种事务。烈马驾车,绳索已朽,随时有翻车的可能,做官何尝不是如此?因此,他总结了官场三条秘诀:一是不参与,不关己事不过问;二是时刻小心,没有终止之日;三是时刻谦让,唯恐不能胜任。只有这样,才能久居高位。

曾国藩在其一生中,始终没有被哪位权臣所拉拢。虽然穆彰阿对他有着提携之恩,在曾国藩的升迁之路上起着关键的作用,但是曾国藩并没有投靠在穆彰阿门下,而是保持了相对的独立。1850年,道光皇帝驾崩后,新即位的咸丰皇帝立即罢免了穆彰阿,并且下诏历数他的罪行,曾国藩并没有为此受牵连。

对于另一个权臣肃顺，曾国藩也是如此。在咸丰朝的后期，肃顺与怡亲王、郑亲王结成了一个小集团，不仅军机大臣拱手听命，而且咸丰皇帝也对他几乎言听计从。他在打击政敌的同时还注重招揽人才，特别是汉人，对曾国藩自然也是大加青睐。湘军集团中的尹耕耘、王闿运等人都与肃党关系密切，但是曾国藩只是通过郭嵩焘等人与肃顺保持着若近若远的联系。因此，后来辛酉政变肃顺倒台，慈禧太后彻查肃党时，发现朝野很多大臣都与肃顺有书信往来，唯独没有发现曾国藩的只言片语。

正是这种战战兢兢、时刻处于危机之中的心态，使曾国藩成就了显赫功业。在慈禧太后提出由曾国藩管辖四省的时候，曾国藩深有体会地说："陆游说能长寿就像得到富贵一样，在我还不知道他的意思时，就挤进老年人的行列中了。近来混了个虚浮的名誉，也不清楚是什么原因就得到了这个美好的声名。"

多一份谨慎，就多一条退路。正因为在处事上如此小心谨慎，曾国藩才避免了很多不必要的麻烦，在成功的道路上走得顺畅。

【原典】畏危者安，畏亡者存。夫人之所行，有道则吉，无道则凶。吉者百福所归，凶者百祸所攻。非其神圣，自然所钟。

注曰："有道者，非己求福，而福自归之；无道者，畏祸愈甚，而祸愈攻之。岂有神圣为之主宰？乃自然之理也。"

【译文】

害怕危险，常能获得安全；害怕灭亡，常能获得生存。一个人的所作所为，只要符合道义，就能吉祥喜庆，否则就凶险莫测。吉祥的人，各种福报都归集于他一身，险恶之人，则各种厄运都向他袭来。这并非什么神秘的事情，而是自然的规律。

【释评】

自然界的优胜劣汰与战场上的成王败寇一样，所以，黄石公说："畏危者安，畏亡者存。"与这句话相对应的是《孙子兵法》中的一句话："乱生于治，怯生于勇，弱生于强。"孙子将乱与治、怯与勇、弱与强视为矛盾的统一体，并认为它们在一定的条件下可以相互转化，因此处世必须时时保持警惕，留意形势变化。任何事情都有好与坏的两面，满足和停留就意味着危险，因而危机意识显得尤为重要。

心存危机意识，时刻保持高度的警惕，才不会给敌人以可乘之机。无论目前自己的发展状况有多么稳定，都不能排除来自敌人的威胁。在敌人积聚实力的同时，我们自己不突破、不进步，势必会落在后面。我们所能做的是以发展来超越敌人的发展，以进步来超越敌人的进步，一刻也不能停息。

有一只野猪正对着树干磨它的獠牙，一只狐狸见了，问它为什么不躺下休息享乐。野猪回答说："等到猎人和猎狗出现时再磨牙就来不及啦！"

事实就像野猪所说的，如果没有远见，看不到潜在的危险，那么，在你防备松懈的时候，危险突然而至，那时你除了惊慌失措、束手就擒，还能有什么作为？

人，自我满足、自我陶醉，那么就有可能走向灭亡！

有一天，啄木鸟在树林里意外发现一些树木分泌出一种黏性很强的胶。啄木鸟差点被粘住。于是啄木鸟号召附近的鸟儿，尽快将这树种的种子全部吃掉，以绝后患。可是附近的鸟儿们并没有把啄木鸟的话当一回事。

春天来了，小树苗长了起来，啄木鸟又对鸟儿们说："赶紧在树苗长大前把它们全部拔掉，等它们长成大树，你们将失去这片树林，无家可归。"然而，鸟儿们依旧没有理睬啄木鸟的话。

随着时间的推移，一株株小树苗长成了一棵棵大树，它们分泌出清香的黏胶，引来了许多虫子。看到这一切，鸟儿们开始嘲笑啄木鸟说："愚蠢的预言家、糊涂的先知，幸亏当初没有听你的谣言，不然可就吃不到这么美味的佳肴！"啄木鸟听了，叹道："难道你们真的不知道灾难就要发生了吗？"在一片嘲讽声中，啄木鸟离开了这里。

望着树上那些美味的食物，鸟儿们欢呼雀跃，它们成群结队地飞进树林，最后一只只都被粘在树上只能垂死挣扎。

"没有危机感就是最大的危机。"高瞻远瞩、居安思危，这是智者的生存态度，也是用变化的观点分析态势。因为所有事情都是由正、反两个方面组成的，既没有绝对的好，也没有绝对的坏，在安逸的时候要想到将来的危险，成功的时候要想到将来的失败。

【原典】务善策者无恶事，无远虑者有近忧。

【译文】

行善积德，自然没有坏事侵扰；不深谋远虑，则无法避免忧患的产生。

【释评】

孔子说："一个人如果立志去施行仁德，那就不会去做坏事。"《论语·雍也》中有孔子这样的一段话："人之生也直，罔之生也幸而免。"一个人能够很好地生存是因为他品行正直，而一个人在这个世界上能够生存品行却不正直，这种情况很少，那也只是因为他侥幸地躲过了灾难。所以说"务善策者无恶事"。心怀仁念行事之人，必能远离恶行。

无论在古代还是在当前，时代的变化并不能改变事物自身的规律。用心险恶、手段卑劣，虽有时候能获取蝇头小利和短暂的好处，但毕竟不是正道；只有内心仁德平和，行为光明正大，才是能够成就大事、行之久远的做人做事途径。

15世纪，荷兰的几个水手为了寻找一条通往中国和东印度群岛的航线，组织了一次探险航行。探险队起航前，荷兰的商人把一些准备和中国进行贸易交换的商品装上船。水手们肩负着重任，出发探险了。

水手们抵达北冰洋后，夏季已结束。探险船被冻结在冰水中，全体水手被迫登陆。他们在登陆的岛上修建了木屋，等待着春天的来临。在饥寒交迫的恶劣环境中，有些水手因饥饿而患病，不幸死去。而其他水手，没有一个人动那批货物，那批货物全是舒适的服装、美味的食物。

由于船长期受冰块挤压，船身破损，冰雪融化后，水手们只得站在齐腰深的冰水中修船。在从死神手中挣扎逃出的时刻，水手们仍带着商人托付的货物。水手们上岸后，首先就是把货物打开来晾干，因为他们想将货完好地带回荷兰。

一年多过去了，历尽艰辛的水手终于回到了荷兰。他们早已一无所有，但货物完好无损。荷兰商人们看到这批货物，都赞不绝口。

这些水手身上所体现的使命感、仁义的光辉，这种道德的约束、良心的承诺，就是仁义的力量。他们把仁义看得比生命还重要，在生命受到威胁的时候，他们仍然不以丧失仁义来挽救生命。

被称为内圣外王的曾国藩曾说，宁可被认为无才而为庸人，也不可被认为有才无德而为小人。这反映了他在仁德与才干之间的价值取向。随着社会的不断规范，选拔人才也是以品质为先的。各行各业，都有自己的职业道德。

一个人能心志于仁，不做坏事，无论何时何地，都不会真的吃大亏、被欺负。而从整个社会的发展规律来看，这种人也是符合道德取向和职业需要的。

一个人的名誉、能力要想得到社会公众长久的认同，必须持续地在每一件事上都为自己的态度负责。在我们的工作中，你种下什么种子，将来必定收获什么样的果实，这就是人们常说的因果定律。品行映照的是我们的灵魂，一个人如果品行修炼不好就会感到灵魂不安，而且容易犯下错误。即使是一次微不足道的错误行为，也会给以后的生活带去挥之不去的阴影。这种不良记录终将受到应有的惩罚。同时，一个人的不良行为也会使整个社会付出代价。

【原典】同志相得，同仁相忧，

注曰："舜有八元、八凯。汤则伊尹。孔子则颜回是也。文王之闳、散，微子之父师、少师，周旦之召公，管仲之鲍叔也。"

【译文】

理想志趣相同的人，必然会情投意合，相得益彰。怀有仁善之心的人，必然相互担忧，关心对方。

【释评】

物以类聚，人以群分，原本陌生的人之所以能走到一起，形成群体，是因为人与人之间拥有相互吸引的因素。《素书》便列出了这些共同因素，如同爱、同仁、同志、同声等。总结所有因素，人与人之间关系的亲近，无非是"三同"，即同爱、同志与同难。

所谓同爱，即拥有共同的爱好。俞伯牙与钟子期"高山流水"遇知音，便是在共同爱好上建立起的友谊。所谓同志，即有共同的志向。如张良与刘邦、姜子牙与周文王、诸葛亮与刘备，抱有共同的志向，因此相得。有共同志向的人在一起才能够共同实现目标，如果失去了共同追求的目标，或者共同目标不明确，那么团队便会涣散。

如宋朝的梁山好汉一百零八将，他们有一个共同的价值观就是江湖义气，无论发生什么事都是兄弟。所以他们能团结在一起。但是他们没有一个共同的目标，因此当朝廷招安时，宋江认为应该投降，李逵认为他们打打杀杀挺好的，还有些人认为，衙门不追杀他们就很好了。结果梁山好汉的团队就这样崩溃。所以，一定要重视团队的共同目标与使命感。

同难，则是指面临共同的危险，可以共患难的人。战国时代后期，经过商鞅变法后的秦国逐渐强大起来，成为七雄中实力最强的国家，齐、楚、燕、韩、赵、魏六国均无力单独抗击强秦的侵略。为了与强大的秦国对抗，保障弱小国家的利益，六国联合，势在必行。

公元前314年，苏秦先到燕国，向燕文王指出，自己的国家与燕国有着共同的敌人、共同的利益，在强大的秦国面前，各小国好比风中的蜡烛，只有大家联合起来，才能保护各国的利益不受侵犯。他劝说燕文王应与近在百里的赵国联合，以防千里之外的强秦。

燕文王接受了苏秦的建议之后，苏秦又来到赵国，向赵肃侯指出大家的共同利益。他说："秦国之所以不进攻赵国，是因为顾虑韩、魏二国袭其后方。如果秦国先打败韩、魏，再举兵攻赵，那么赵国的灾难就到来了。"苏秦还向赵王指出，六国之地五倍于秦，六国之兵十倍于秦，如果为了共同的利益，能够合六为一，同心同德，必定能打败秦国。因此，他希望赵王邀请韩、齐、楚、燕等国国君进行谈判，共商六国联合抗秦大业，这样，秦国就不敢进攻六国中的任何一国了。

在整个游说过程中，苏秦抓住了各国都要维护自己的利益，秦国是他们的共同敌人这一主线，讲明六国有着共同的利益关系，合则可以抗强，分则有被秦国各个击破的危险。因此，同舟共济，联合抗秦，才是保护自己国家利益不被分割的唯一选择。利害分合，同义则相亲，同难则互济。

共同的爱好、共同的目标以及共同的危机感，是陌生人甚至敌人能够走到一起的原因。无论是在日常交往中还是在团队管理中，运用这“三同法”来与人拉近关系，提高团队凝聚力，将起到事半功倍的效果。

【原典】同恶相党，同爱相求，

注曰：“商纣之臣亿万，盗跖之徒九千是也。爱利，则聚敛之臣求之；爱武，则谈兵之士求之；爱勇，则乐伤之士求之；爱仙，则方术之士求之；爱符瑞，则矫诬之士求之。凡有爱者，皆情之偏、性之蔽也。”

【译文】

为非作歹之徒必然结党营私，有相同爱好的人自然会互相访求。

【释评】

贾岛说：“君子忌苟合，择交如求师。”而梁漱溟先生认为择友的标准应该是“趣味”，他说：“朋友相交，大概在趣味上相合，才能成为真朋友。”这个趣味包括学识、品格、个人喜好等。趣味不必相同，能够相合就可以了，即“同恶相党，同爱相求”，理想、志向、爱好相同的人，必然能够趣味相投。

梁漱溟说，自己在二三十岁时所交的朋友，“差不多没有一个不比我年纪大的，如张难先、林宰平、伍庸伯、熊十力诸先生。不同年龄的人其趣味不同，而竟能成为很好的朋友，这都不是容易的”。

金庸所著的《笑傲江湖》中，刘正风和曲洋一个是正道名宿，一个是魔教长老，两个人却因为共同的爱好而结为生死之交，琴箫合奏《笑傲江湖曲》，他们在共同的兴趣上达到了性情的契合，最终双双殉乐而死。嵇康曾说："内不愧心，外不负俗，交不为利，士不谋禄。"与人结交不是为了从中获得什么好处，只要脾气相投就行了。

梁漱溟还认为，一个人既是从自己的趣味高低去定朋友的高低，也是通过朋友的高低来确定自己在社会上的信用地位。

曹操为了得到徐庶，将徐母软禁在曹营。程昱赚得徐母笔迹，模仿她的字体，诈修家书一封，派人送到徐庶那儿。而徐庶是个至孝之人，为全孝道，只得赶往曹营。拜别刘备之际，徐庶不仅说日后纵然曹操相逼，也"终身不设一谋"，并且还为刘备推荐了一个奇士。

徐庶说："此人不可屈致，使君可亲往求之。若得此人，无异周得吕望、汉得张良。"

刘备认为天下之才无出徐庶之右者，于是便问那人的才德与徐庶相较如何。

徐庶回答："以某比之，譬犹驽马并麒麟、寒鸦配鸾凤耳。此人每尝自比管仲、乐毅；以吾观之，管、乐殆不及此人。此人有经天纬地之才，盖天下一人也！"

徐庶口中的绝代奇才正是谋定三分天下的诸葛亮，刘备这才知道他就是水镜先生司马徽昔日所言的"伏龙、凤雏，两人得一，可安天下"中的伏龙。

刘备准备去拜访诸葛亮时，司马徽前来拜访，刘备便向他打听诸葛亮其人。司马徽说："孔明与博陵崔州平、颍川石广元、汝南孟公威与徐元直四人为密友。此四人务于精纯，唯孔明独观其大略。尝抱膝长吟，而指四人曰：'公等仕进可至刺史、郡守。'众问孔明之志若何，孔明但笑而不答。每常自比管仲、乐毅，其才不可量也。”

关羽插嘴道：“某闻管仲、乐毅乃春秋、战国名人，功盖寰宇。孔明自比此二人，毋乃太过？”

司马徽却说，孔明不当与管仲、乐毅相比，而是可比“兴周八百年之姜子牙、旺汉四百年之张子房”。

第二天，刘备就带着关羽、张飞前去隆中求贤。

孔明一面未现，也一谋未设，就已经得到刘备的仰慕与信任，何也？正是因为他所结交的徐庶、司马徽等人都非泛泛之辈。水镜先生清雅识人，有仙风道骨；徐庶的韬略才识时人难及，因此曹操才想方设法笼络他，刘备为他饯行时才会泪如雨下。这两位非常人都对诸葛亮再三推崇，刘备自然深信不疑，心向往之，会有那段“三顾茅庐”的历史佳话自然也在情理之中了。孔明有经天纬地之才，有经邦济世之抱负，才可能与徐庶探讨天下大势，才能够得到水镜先生的赞赏。可见，自己的趣味高，才能够交到好的朋友，才能在社会上建立起自己的信誉和地位。所以我们要不断地砥砺自我，培养自己的才学品格，同时也要多与君子结交才好。

【原典】同美相妒，

注曰：“女则武后、韦庶人、萧良娣是也。男则赵高、李斯是也。”

【译文】

同为倾城倾国的佳丽，必然互相嫉妒。

【释评】

“同美相妒”恐怕是最难克服的人性弱点。两个美女互相嫉妒再正常不过，同美是冤家，同行一样是冤家。身在职场，每个人都想通过自己的努力取得成绩，得到别人的认同和肯定。能成为业绩冠军是能力的一种体现，而能长期独占业绩榜的第一名，更是表明能力了得。这本来是很好的事情，不应该带来任何压力和伤害，可是在下面这个故事中，长期的骄人业绩反而成了主人公与同事交往的极大障碍，甚至最终令她失去了领导的支持。这对她的职业生涯来说无疑是个巨大的障碍，对她的心理也造成了一定的伤害。

若兰是个非常优秀的职员，业务出众，但是有一次与朋友聊天的时候，她却说道："哎呀，你不知道，我在单位快郁闷死了。他们都不理我，都不跟我玩，我成天形单影只的。""你怎么得罪他们了，为什么不理你啊？""他们嫉妒我，一群没有能力、只知道背后暗算别人的小人。"若兰的语气冰冷而坚定。"嫉妒？是你太突出了吗？""大半年来我的业绩在部门里一直是最好的，没有人能与我抗衡。再难缠的客户只要到了我手里，保管能搞定。"若兰说这些的时候，眼里闪着得意的光芒。"我明白了，正是因为你太优秀、太出色了，让你的同事感觉到了压力，所以他们联合起来孤立你。那你们领导应该很喜欢你啊，业绩这么好。""刚开始的时候，他们是挺高兴的，对我也很客气，像捡到宝了。现在也冷淡下来了，说我不注意团结同事。真是荒谬，他们嫉妒我，我还怎么跟他们团结啊？"若兰委屈地说。

同在一个办公室里办公，大家能够支配的资源一样，如果你比其他的同事干得好，自然会给别人造成一定的压力。同事之间在很大程度上是一种竞争关系，如果你太能干，别人在你的光环下就会显得暗淡。谁不想表现，谁不想被重视呢？但是，因为有了你的存在，有了你超强的业务能力，他们只能屈居第二；也因为有了你的存在，老板对他们的关注骤然减少，甚至很少过问，因为老板的全部心思都在你这里，你成了老板跟前的红人，而他们全部失宠了。面对一个将自己处境改变了的对手，一个强劲得很难超越的对手，他们怎么会不嫉妒呢？这种嫉妒往往会以冷暴力的形式表现出来，这种方式既能让你感到难受，又不会给他们自己带来任何利益和形象上的伤害，是最佳的报复方式之一。

作为公司的领导，能笼络有能力的员工固然是件好事，但是如果有一天他发现因为某个员工过于突出而使更多员工的工作积极性受到严重打击，或者内部矛盾尖锐，整体效率下降，那么他当然要重新考虑是继续站在某个人的一边，还是站在更多人的立场上。老板心中自有一杆秤来衡量，而秤砣是利益，哪方面能保障更大、更持久的利益，他就倾向于哪方，所以若兰的遭遇也就不难理解了。

那么，在工作中，在我们尽力争取更好的成绩、创造更多的价值的时候，该如何平衡业绩与人际关系呢？怎样避免像若兰这样出了成绩、没了人缘的情况发生呢？以下两点需要我们注意：

第一，做人低调一些，态度上尽量谦虚。

能在工作中取得一定的成绩，当然与自己的努力和才能分不开，但是因此沾沾自喜、恃才傲物是不可取的。如果你表现出得意张扬的姿态，其他同事看到之后自然会心生不快。但是如果你态度谦虚，不吹嘘自己的能耐，不显山，不露水，待人友好诚恳，尽量不在业绩上做比较，克制自己的优越感，那么别人也不会非要把你孤立起来不可。

第二，尽力帮助同事，态度诚恳。

“一个篱笆三个桩，一个好汉三个帮。”谁都会遇到自己克服不了的困难，当同事有困难而你又有能力帮助他的时候，不妨及时伸出援助之手。“君子成人之美”，成全别人、帮助别人的同时也是在成全和帮助自己。千万不要以为帮助别人就会让自己失去机会，恰恰相反，好的人际关系给你带来的机会和益处远远大于一个人单打独斗所创造的价值。

【原典】同智相谋，

注曰："刘备、曹操，翟让、李密是也。"

【译文】

同样才智超群的人，必然互相较量各自的谋略。

【释评】

刘禹锡的名篇《陋室铭》中有一句话："谈笑有鸿儒，往来无白丁。"意在表达作者即使身处陋室，但是与之交往的人也都是有高尚情操、品质高雅的人士。与优秀的人接触，自然会潜移默化地受到他人的影响。相反，经常与劣迹斑斑的人为伍，难免会沦落为品行低下的小人，真正能够做到"出淤泥而不染"的人毕竟很少。但是有时我们会发现，我们无法与强者进行深刻的交流、切磋，原因就在黄石公所说的"同智相谋"。所谓同智相谋，意思是人在选择对手或朋友的时候，总是会选择那些与自己水平相当的人。所以，如果你希望与品行高雅、学识渊博的人交往，从他人那里学到点东西，那么首先要提升自己。想要吸引什么，就先将自己变成什么。

当然，提升自我、追求进步的过程，也是充满曲折的，往往是人们经历了挫折，在无情的现实中四处碰壁之后才能够领悟到的。

刚刚研究生毕业的方明到某高校任教，自以为学术功底扎实的他在教研活动中感到自己很多理论知识都与实地调研挂不上钩，而且他对于学科的前沿理论也知之甚少。意识到这些之后，方明也没有下定决心奋起直追，而是仍然心不在焉地认为还可以凭老底混几年，趁年轻先好好玩玩再说。后来，他发现这么下去并不是办法。因为在教研室进行学术讨论的时候，其他同事都能够侃侃而谈发表自己的看法，唯独自己没有成熟的看法，这时他都会感觉到同事对他怀疑的眼光。遇到教研室申请下来的国家社科基金的课题，老师们要分为几个子课题，方明非常想和理论功底深厚、学识渊博的资深教授一起，却被人家婉言拒绝。遇到学科内的高端会议，由于那些资深专家、教授交换的观点很难懂，他自然也很难参与进去，更谈不上发表自己的观点，也很难有人认识他。这使他深刻认识到，自己的学术水平不够，就很难得到大家的认同和肯定，就不可能进到学术界的核心圈子里去。认识到这点以后，他开始下功夫钻研学术，潜心搞调查研究。在这个充满寂寞的、孤独的过程中，他也体会到了钻研学术的快乐、愉悦。功夫不负有心人，两年的时间里他就在核心期刊上发表了4篇学术论文，令同事刮目相看，并被学校优先提拔为副教授。这时，愿意与他切磋、交流学术观点的学者、专家也就多起来了。

如果你想与雄鹰共处，那么你就要先练就高超的飞翔技术。方明是明智的，当遇到类似情境的时候，可以反过来站在对方的角度来思考问题，不可否认，在工作中，大家都希望能够与业务水平高深的人一起交流，而不屑与水平低下的人为伍。中国有句古话“近朱者赤，近墨者黑”，也就是这个道理。物以类聚，人以群分。一个人的道德、能力、学识都能够从他交往的圈子中窥见一斑。你要想吸引什么，就让自己先变成什么。既然难以改变别人，就改变自己，如此才能赢得别人的肯定和尊重。

【原典】同贵相害，同利相忌，

注曰：“势相轧也。害相刑也。”

【译文】

具有同等权势地位的人，必然互相排挤，彼此倾轧。有同样利害关系的人，必然互相猜忌。

【释评】

具有同等权势地位的人，必然互相排挤，彼此倾轧；有同样利害关系的人，必然互相猜忌。这就是为什么拥有同等地位的人很难和谐相处。一山不容二虎，这本是人性所致，但黄石公在此提出“同贵相害，同利相忌”的目的，在于劝导人们，只有与人无争，才能亲近于人；与物无争，才能抚育万物；与名无争，名就会自动到来；与利无争，利就会聚集而来。古人云：“势相轧，害相刑。”祸患的到来，全是争的结果。而无争，也就无灾祸了。

宋代的向敏中，在宋太宗时为臣，在真宗时晋升为右仆射，担当大任三十年，没有一个不服从他的人，而能做到这一点，正是他不争而避免了他人妒恨排挤之祸。

《宋史》记载：向敏中，天禧（真宗年号）初，任吏部尚书，为应天院奉安太祖圣容礼仪使，又晋升为左仆射，兼任门下侍郎。有一天，与翰林学士李宗谔相对入朝。真宗说：“自从我即位以来，还没有任令过右仆射。现在任命向敏中为右仆射。”这是非常高的官位，很多人都向他表示祝贺。徐贺说：“今天听说您晋升为右仆射，士大夫们都欢慰庆贺。”向敏中仅唯唯诺诺地应付。又有人说：“自从皇上即位，从来没有封过这么高的官，不是勋德隆重，功劳特殊，怎么能这样呢？”向敏中还是唯唯诺诺地应付。又有人历数前代为仆射的人，都是德高望重。向敏中依然是唯唯诺诺，也没有说一句话。

第二天上朝，皇上说：“向敏中是有大耐力的官员。”向敏中对待这样重大的任命而无所动心，大小的得失都虚受。这就做到了老子所说的“宠辱不惊”，人们三次致意恭贺，他三次勉强应付，不发一言，可见他超人的镇静。正如《易经》中所说的“正固足以干事”。所以他居高位三十年，人们没有一句怨言。他能这样从政处世，对于进退荣辱，都能心情平静地虚心接受。所以他理政府事，待人接物，也就能顺从大理，顺从人情，顺从国法，没有一处不适当的。人贵在以虚受修养自己，以坦荡交游涉世。

宋代另一人物文潞公，一生也是以虚受坦游自守，在他辞官回归洛阳时，已是八十岁高龄了。神宗看他精神健旺，年力康强超过常人，问他是不是养生有道，他回答说：“没有其他的方法，我只不过能随意自适，不以外物伤和气，不敢做过头的事情而已。”这真可以作为名言传于后世。

老子曾说：“只有无争，才能无忧。”利人就会得人，利物就会得物，利天下就能得天下。从来没有听说过，独恃私利的人，能得大利的。所以善利万民的人，如同水滋润万物而与万物无争，不求所得。生活中亦可见那些事事斤斤计较，患得患失的人，事事强出头，那样只会让自己活得更累罢了，因为当你同别人争名夺利时，你也成了别人的眼中钉、肉中刺，下场自然也好不到哪里去。

【原典】同声相应，同气相感，同类相依，同义相亲，同难相济，同道相成，

注曰：“五行、五气、五声散于万物，自然相感应也。六国合纵而拒秦，诸葛通吴以敌魏，非有仁义存焉，特同难耳。汉承秦后，海内凋敝，萧何以清静涵养之。何将亡，念诸将俱喜功好动，不足以知治道。时，曹参在齐，尝治盖公、黄老之术，不务生事，故引参以代相。”

【译文】

有共同语言的，则互相应和；气韵旋律相同的，则互相感应。同一类型的，互相依存；具有共同道义的，互相亲近。处于同样困难中的人们，互相帮助，同舟共济。同一条道上的，互相扶助，促其成功。

【释评】

“人类是社会性动物。一个人在社会上不可能没有朋友。任何人的一生都是一场搏斗。在这场搏斗中，如果没有朋友，则形单影只，鲜有不失败者。如果有了朋友，则众志成城，鲜有不胜利者。”

任何人都离不开朋友，没有真正的朋友，一个人将寸步难行。在古代，反映友谊的故事不胜枚举，比如“桃园三结义”，比如钟子期与俞伯牙的故事。人们之所以如此看重友情在自己生命中的分量，是因为朋友就是另一个自己，他们的存在让我们的生命焕发光彩，关键时刻甚至还能震撼我们的心灵。用黄石公的话说就是：“同声相应，同气相感，同类相依，同义相亲，同难相济，同道相成。”

无论古人今者，行走于世都会常常喟叹：“相识满天下，知心能几人？”因此每当遇到知心之人，必然有“为知己者死”的情怀。何以“知己”便能让人不惜自己的性命也要守住？这是因为每当我们心境彷徨时，知己会与我们共同承担苦闷；每当我们怒气冲天时，知己会以宽容的胸怀接纳；每当我们欣喜若狂时，知己会乐于分享；每当我们乐不思蜀时，知己会及时给予忠告；每当我们扬扬自得、走向歪路时，知己会及时地拉我们一把；面对知己，无须言语的解释，一个眼神、一个微笑，他便能体会到我们此刻的心意。

然而，这天下间能如此了解自己的人太少了，即便是父母、兄姊、情人，也不尽然，于是这份稀有，足以用生命守护。彼此知心的人所结成的友谊通常都是终生不渝的，这种不渝值得一辈子珍藏，即使死去，也想要带在身边。

季羡林先生有一位相交了七十多年的朋友，便是诗人臧克家。即使相识这么多年，二人仍然相见恨晚。2005年，臧克家去世，之后季老每当追忆这位朋友，都觉得心痛无比，时常感叹人生中最好的朋友离去了，唯有用“他永远永远地活着”来聊以自慰。

季老早年有一次到金鱼胡同的四联理发店理发，恰巧碰到老舍，老舍悄悄替季老付了理发的钱，让季老十分感动。季老到了晚年还一再跟老舍的儿子舒乙先生提到这些事情，说十分怀念老舍先生。

朋友是那个会与你相依相感，相应相亲的人，更是那个可以与你患难与共，生死同舟的人。患难之时的友谊真的像明灯一样，能给生命中最黑暗的角落带来希望和光明。能患难与共的朋友才是人生的知己，也才是真正的朋友。

能临危不惧，在危急关头不抛弃我们而愿意与我们一起承担的人，才是真正的朋友。我们每个人都希望自己能够得到这样的朋友，却总是难以如愿以偿。一位伟大的哲人曾说过：“想要我为一个朋友去死，这并不困难。难的是找不到值得我一死的友人。”尽管患难之交总是很难遇到，但即使暂时没有，也不要灰心，只要寻觅真诚情谊的心在，患难真情迟早会出现在我们的身边。

【原典】同艺相规，同巧相胜。此乃数之所得，不可与理违。

注曰：“李醯之贼扁鹊，逄蒙之恶后羿是也。规者，非之也。公输子九攻，墨子九拒是也。自‘同志’下皆所行所可预知。智者知其如此，顺理则行之，逆理则违之。”

【译文】

有同一技艺的，互相窥探。有同一技巧的，互相较量，以争其高低。以上这些都是自然界的变化规律，不可违背。

【释评】

同行业之中，存在着很多竞争，即所谓“同艺相规，同巧相胜”。为了自身的发展，同行业者之间常常会进行比较，看到别人发展得顺利，而自己却失意，心中自然会不舒服，会产生怨恨。为了寻求心理上的平衡，很多人会运用不正当的手段进行报复，甚至会在暗地里做一些不光明的事情，阻碍对方的发展。虽说“同行是冤家”，但并不是说同行就必须要“打破脸，撕破皮”，互相看不上眼，老死不相往来，而是应该给对方留一些发展空间，这样才能在危机到来的时候达成一致，共渡难关。

深谙商场规则的红顶商人胡雪岩曾说：“大家是兄弟同行，希望有福同享。”虽然说没有竞争就没有进步，可是一旦竞争起来，就可能会为了争权夺利而不择手段，陷入恶性竞争循环中。胡雪岩很担心因为同行的恶性竞争而阻碍自己事业的发展，所以他在经营阜康钱庄的时候，一再发表声明：自己的钱庄不会挤占信和钱庄的生意，而是会另辟新路，寻找新的市场。

这样一来，属于同一行业范畴的信和钱庄，不是多了一个竞争对手，而是多了一个合作伙伴。心中的顾虑消除了，信和钱庄自然很乐意支持阜康钱庄的发展。在后来的发展历程中，阜康钱庄遇到发展危机的时候，信和钱庄能够主动给予帮助，也是因为当初胡雪岩“不抢同行盘中餐”的承诺所在。

在阜康钱庄发展十分顺利的时候，胡雪岩插手了军火生意。这种生意利润很大，但是风险也大，要想吃这一碗饭，没有靠山和智慧是不行的。胡雪岩凭借王有龄的关系，很快进入军火市场，也做成了几笔大生意。这样一来，胡雪岩在军火界的名声也就越来越响了。

一次，胡雪岩打听到了一个消息，说外商将引进一批精良的军火。消息一确定，胡雪岩马上行动起来，他知道这将是一笔大生意，所以赶紧找外商商议。凭借高明的谈判手腕，他很快与外商达成了协议，把这笔军火生意谈成了。

可是，这笔生意做成不久，外面就有传言说胡雪岩不讲道义，抢了同行的生意。胡雪岩听了后，赶紧确认。原来，在他还没有找外商谈军火一事之前，有一个同行已经抢先一步，以低于胡雪岩的价格买下了这批货，可是因为资金没有到位，还没来得及付款，就让胡雪岩以高价收购了。

弄清楚情况以后，胡雪岩赶紧找到那个同行，跟他解释说自己是因为不知道，所以才接手这单生意的。他甚至主动提出，这批军火就算是从那个同行手中买下来的，其中的差价，胡雪岩愿意全额赔偿。那个同行感动不已，暗叹胡雪岩是个讲道义的人。

协商之后，胡雪岩做成了这单生意，同时也没有得罪那个同行，在同行中的声誉也比以前更高了。这种通融的手腕让他消除了在商界发展的障碍，也成了他日后纵横商场的法宝。

可见放宽心态对待同行业的竞争，还能从中得到很多你意想不到的东西。所以，一定要冷静地面对竞争，不要因嫉妒而冲昏头脑。比如，在你的工作职位上有一个新人进入，你难免会有危机感。此时，如果你想着怎样把对方挤走，就大错特错。相反，你要努力从对方身上吸取经验，弥补自身不足，这才是最好的保全自身的办法。

同样，在商场上竞争尤为激烈，人们为了达到自己的目的，往往是万般手段皆上阵。有时候，为了挤走同行业的竞争者，甚至会出现价格大战、造谣中伤等情况。这样做，虽然受益的是顾客，但是如果因为竞争而造成成本压缩，导致产品的质量下降，直接受损失的还是顾客。每个人的身上都有着属于自己的优点，商场中也是一样的。各家的经营手段不同，其中一定有好的一面值得学习，能够看到对方的优点，回避对方在发展中的不足，这也是有利于共同发展的一种手段。

【原典】释已而教人者逆，正己而化人者顺。逆者难从，顺者易行；难从则乱，易行则理。如此理身、理家、理国可也。

注曰："教者以言，化者以道。老子曰：'法令滋彰，盗贼多有。'教之逆者也。'我无为，而民自化；我无欲，而民自朴。'化之顺者也。

"天地之道，简易而已；圣人之道，简易而已。顺日月而昼夜之，顺阴阳而生杀之，顺山川而高下之，此天地之简易也。顺夷狄而外之，顺中国而内之，顺君子而爵之，顺小人而役之，顺善恶而赏罚之，顺九土之宜而赋敛之，顺人伦而序之，此圣人之简易也。夫乌获非不力也，执牛之尾而使之却行，则终日不能步寻丈，及以环桑之枝贯其鼻，三尺之绳縻其颈，童子服之，风于大泽，无所不至者，盖其势顺也。小大不同，其理则一。"

【译文】

放任自己，却一味教育别人的人，别人不会接受他的道理；先端正自己，再去教化别人的，别人就会顺服。

违反常理，则属下难以顺从；顺应天理，则易于行事。不顺从，则易生动乱；易行事，则社会安定有序。这样，修身、齐家、治国都可以取得不错的成绩。

【释评】

黄石公在《素书》中为我们提供了许多精妙的用人智慧，

比如“逆者难从，顺者易行；难从则乱，易行则理”就是一种因势用人的智慧。

古人云：“三代之际，非一士之智也。”意思是说，在不同的阶段，需要不同的人才提供不同的智谋，如此才能更好地应对时变，只靠某一个或某种类型的人提供的智力支持，是远远不够的。因势用人，应时势的变化而起用不同类型的人才，形成不同的智慧资源，这是用人艺术最精微也是最玄妙之处。孔子曰：“道千乘之国，敬事而信，节用而爱人，使民以时。”在管理学上，“使民以时”可以引申为用人时应该把握时间，做到因势用人。在因势用人这方面，汉高祖刘邦可谓做到了极致，他通常能根据不同的形势、不同的人才特点采取不同的用人策略。

刘邦是以霸术而得天下的。在西汉未定时，他依靠韩信、萧何、英布等人的辅助，东征西讨，屡战屡胜，最终打败项羽，建立西汉王朝，即史书上所载“居马上得之”。此时的刘邦，对于所谓“迂腐”的儒生是不屑一顾的，并曾对儒生做出“解其冠，溲溺其中”的行为。

西汉建立后，刘邦对儒生依然十分排斥，一谈到《诗》《书》《礼》《乐》便心生厌恶。大臣陆贾深通世变，偏偏时常在刘邦面前提起《诗经》和《尚书》，弄得刘邦很不耐烦，大骂道：“老子我提三尺剑，于马背上得天下，要《诗》《书》有何用！”

对此，陆贾反驳说：“您于马背上得天下，难道就说明您也要在马背上治理天下吗？在古代，商汤王和周武王反对暴虐待人，顺应了天下民心，依靠文人武将共同治理国家。而吴王夫差和中山国的智伯凭借着武力称霸天下，但不懂得权变，最终因随意使用武力，不断发动侵略战争而败亡。秦国只依靠刑法治理国家，不懂得随着时势的变化而做出改变，最终灭亡。如果当初秦国在统一天下以后，遵循先圣的教诲，实行仁义的政策，您又怎么能够将秦国收归己有呢！如果您还于马背上治理天下，则恐怕也不会长久啊！”

听了陆贾的话后，刚刚获得天下不久的刘邦又是惊讶，又是后怕，自己不懂得审视权变，意识不到用人、用术要随时势而变，差点酿成大错。此后，刘邦开始大量起用儒生，帮助自己治理天下。

“马背上得天下，不能马背上治之”，争天下与安天下有别，在用人时，自然要遵循不同的方法。刘邦之所以很快地转变自己的用人策略，正在于他明白打天下和治理天下需要不同的人才。

《吴子·治兵》说：“教战之令，短者持矛戟，长者持弓弩，强者持旌旗，勇者持金鼓，弱者给厮养，智者为谋主。”吴起在这里讲的短者怎样、长者怎样等是从教练作战之法令角度来讲的，其实这里隐含着一些用人之道，就是因势用人的问题，即根据人才个人特点用之，或让持矛戟，或让持弓弩等。这与刘邦的因势用人之道有异曲同工之妙。

因此，用人一定要灵活，把握好“势”，只有这样才能合理地分配任务，使下属在愉快、轻松的氛围中把工作做到最好。